The Big Idea

Есть ли будущее у капитализма?

Prod No.	99034
Date	03.04.19
Supplier	DZS Grafik doo
T.P.S	229mm x 152mm portrait
Extent	144pp in 4/4 (CMYK)
Papers INT	120gsm GalerieArt Natural Woodfree
Cover	4/1 (outter PMS 485C Red, 802C Green, 803C Yellow Reflex Blue C / inner PMS Reflex Blue U) + varnish on 300gsm C1S
Finishing	matt lam + spot UV on front cover, 140mm flap back cover only
Binding	Limp bound, section sewn in 16pp, square back, front cover cut flush, back cover flap flush with book block, cover drawn on with extended back flap folded in.

THE
THIS NO
FOR ALL DE

The Big Idea

Джейкоб Филд

Есть ли будущее у капитализма?

Введение в XXI век

Более 150 иллюстраций

A+A

Редактор серии:
Мэтью Тейлор

Содержание

extra
BLACK FRIDAY
extra
SAMSUNG
SMART TV
SAMSUNG
SMART TV
SAMSUNG
SMART TV
5200 40

Введение

A

Капитализм — это экономическая система, конечной целью которой является получение прибыли. Товары и услуги производятся для зарабатывания денег. Дать капитализму определение легко, но существует более сложный вопрос: есть ли будущее у капитализма?

Поиски ответа на него сталкиваются со многими другими вопросами: что дал капитализм человечеству? кому он приносит выгоду и к каким последствиям приводит неравномерное распределение прибылей? способствовал ли капитализм уменьшению неравенства внутри отдельных стран и между странами или лишь усугубил его? существуют ли альтернативы капитализму и насколько они эффективны? как повлиял капитализм на окружающую среду и может ли система обеспечить более приемлемое с экологической точки зрения будущее?

Рассмотрение этих проблем имеет огромное значение, потому что капитализм присутствует повсеместно. Современные формы он стал приобретать более 200 лет назад, одновременно с промышленной революцией и началом глобализации. Постепенно капитализм распространился по всему миру, превратившись в доминирующую экономическую систему. Современный мир неразрывно связан с капитализмом, который затрагивает каждого человека на планете и влияет на все стороны повседневной жизни. О том, как это произошло, речь пойдет в первой главе этой книги, в которой прослеживается эволюция современного капитализма от его истоков в Великобритании конца XVIII века до мирового кризиса 2008 года. В ней также дается обзор того, как в этот период менялись представления об экономике.

Есть различные доводы в пользу того, преуспел ли капитализм, или, напротив, терпит ли он поражение.

Если пренебрегать аргументами сторонников или противников капитализма, будет невозможно создать полную картину и вообще понять, как функционирует наша экономика. Во второй и третьей главе книги рассматриваются доводы обеих сторон. Во второй главе описаны ключевые достижения капитализма, которые обеспечили повышение уровня жизни и создали условия для внедрения важнейших инноваций в истории. В свою очередь, третья глава рассказывает о наиболее противоречивых чертах капитализма, заключающихся в том, что он обогащает лишь узкую прослойку элиты, создавая беспрецедентное неравенство, и наносит непоправимый ущерб окружающей среде. Существуют как способы адаптации и изменения капитализма, так и альтернативы ему. В четвертой главе предлагаются некоторые решения, которые могли бы помочь в исправлении наиболее опасных изъянов капитализма.

A «Скотный двор» (1945) — одно из наиболее значимых произведений Джорджа Оруэлла, представляет собой аллегорию Октябрьской революции 1917 года и становления сталинизма. Вопреки изначальному обещанию равенства, свиньи строят диктатуру, которая оказывается более жестокой, чем господство людей.

Промышленной революцией обозначается переход от преимущественно аграрной экономики к индустриальной. Сопровождается быстрым экономическим ростом и увеличением производительности труда.

Глобализация — термин, которым принято описывать процесс интеграции мира, заметно ускорившийся в конце XIX века. Охватывает сферы экономики, культуры и политики.

Прежде чем идти дальше, обозначим некоторые базовые принципы капиталистической системы. Во-первых, в ней есть экономические субъекты — частные лица, компании, институты, правительства. Субъекты делятся на собственников и работников. Собственники владеют средствами производства, будь то природные ресурсы (например, земля) или основной капитал (например, материальные активы). Все экономические субъекты реагируют на стимулы, прежде всего на стимул вознаграждения.

До XIX века собственностью в основном владели частные лица; сегодня крупнейшими собственниками являются компании. В капиталистической системе собственники — это в основном частные, а не государственные структуры. Госсектор занимается инфраструктурой, образованием и здравоохранением, то есть сферами, которые приносят пользу всему обществу. Ключевая задача частного сектора — зарабатывание денег для собственников. Такие предприятия, нацеленные на получение прибыли, предлагают намного более широкий спектр товаров и услуг, а значит, в капиталистической системе на них приходится больше рабочей силы и большая доля экономики.

Экономические субъекты производят товары, стоимость которых определяет рынок, благодаря чему становится возможным обмен. Первые рынки основывались на меновой торговле, затем основным средством обмена стали

Спрос обусловлен количеством экономических субъектов, желающих приобрести нечто; **предложение** отражает объем того, что могут предложить рынку продавцы. В теории цены будут колебаться до тех пор, пока спрос не будет уравновешен предложением.

A Цифровая валюта биткоин была запущена в 2009 году. Стоимость биткоина в долларовом эквиваленте выросла к 2018 году более чем в четыре тысячи раз.

B Карта Молуккских островов (Островов пряностей) из книги Виллема и Иоана Блау «Theatrum Orbis Terrarum, sive Atlas Novus» (1635). Хотя эти острова расположены в нынешней Индонезии, выращиваемые на них пряности привлекали многих европейских купцов и колонизаторов, в первую очередь из Португалии и Голландии.

В

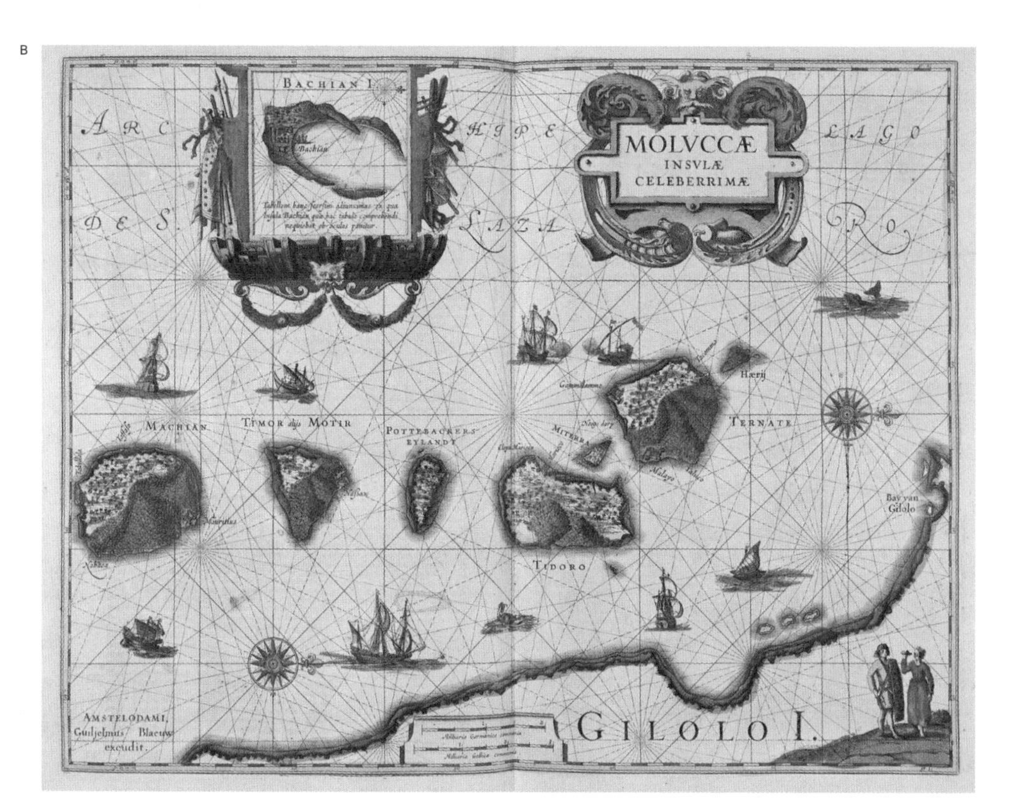

деньги; изначально это были наличные средства, однако сегодня их вытесняют цифровые валюты вроде биткоинов.

Рынком управляют спрос и предложение. Взаимосвязь этих двух факторов позволяет определить цены и управляет экономической деятельностью.

На протяжении столетий обеспечение эффективного функционирования рынков оставалось ключевым вопросом для экономистов. На рубеже XVIII–XIX веков, когда возникла экономическая наука, считалось, что государство не должно вмешиваться в деятельность рынка. Конкуренция между продавцами движет вперед прогресс, поскольку стремление привлечь клиентов обеспечивает более эффективные результаты. Кроме того, конкуренция увеличивает производительность и снижает цены. Считалось, что саморегулирование рынка создает систему, которая приносит выгоду собственникам и потребителям и обеспечивает экономический рост. Первая глава предлагает критический анализ этих утверждений.

A

A Контейнерные суда, которые стали использоваться в 50-е годы, перевозят товары, загруженные в металлические контейнеры. Такой способ транспортировки сильно сократил транспортные издержки и стал движущей силой глобализации.

B Центр обработки заказов Amazon в английском Рагли представляет собой огромный склад товаров. Здесь работают сортировщики, которые берут товары с полок, упаковывают их и отправляют клиентам. Используя центры обработки для отправки своих товаров, интернет-магазины могут сосредоточиться на других направлениях бизнеса.

Ключевая составляющая капитализма — международная торговля. Она ведется, когда одна страна хочет получить от другой какой-то товар, который не производит сама или который дешевле и лучше.

Разумеется, капитализм нуждается в финансах. Финансовые рынки, на которых действуют посредники, такие как банки, связывают тех, кому требуется капитал (заемщики), с теми, у кого капитал имеется (кредиторы). Такие системы, без которых современный капитализм не может существовать, позволяют вкладывать капитал в растущие отрасли. Однако есть опасность того, что кредиторы начнут спекулировать, надеясь увеличить свои доходы. Еще больший вред приносит неопределенность, возникающая, когда кредиторы теряют доверие к некоторым отраслям или странам и перестают одалживать средства.

Успешность капитализма во многом зависит от государства, чьи ключевые функции заключаются в поддержании порядка, обеспечении институциональных рамок (например, посредством законов), предоставлении общественных благ (например, инфраструктуры) и оказании поддержки, когда рынки терпят крах. Для выполнения этих функций государство привлекает займы и взимает налоги.

В

Мы описали базовые принципы капитализма, но как понять, есть ли у него будущее?

Один из способов оценки развития связан с секторальной структурой. Секторов три: первичный (использующий природные ресурсы, прежде всего сельское хозяйство), вторичный (промышленность) и третичный (услуги). В менее развитых экономиках (и в большей части мира до промышленной революции) большая часть населения занята в первичном секторе.

К началу XX века завершился переход к промышленному производству. После 1950 года экономическая деятельность стала всё больше сосредотачиваться в сфере услуг, таких как транспорт и финансы. По мере роста доходов люди тратят больше денег на услуги и меньше на товары и еду. В целом, чем богаче и развитее страна, тем большая доля населения занята в третичном секторе.

Если цель капитализма — прибыль, то самый простой способ оценить его успешность — это определить, увеличивает ли он богатство.

В качестве критерия экономисты обычно используют валовый внутренний продукт (ВВП). Он показывает стоимость всех товаров и услуг, произведенных в стране, как правило, за квартал или за год. Если разделить его на количество жителей, получится ВВП на душу населения — этот показатель дает более точное представление о производительности экономики. Сумма ВВП всех стран дает мировой ВВП, составивший в 2016 году 75,6 триллиона долларов.

A

Коэффициент Джини показывает, как доход распределяется среди населения: 0 означает, что все получают одинаковые доходы, а 1 — что весь доход достается одному человеку. Коэффициент был разработан итальянским статистиком Коррадо Джини (1884–1965).

B

A В начале 80-х годов на горизонте катарской Дохи выделялась лишь гостиница Sheraton в районе Западного залива — вокруг нее практически ничего не было.

B Сегодня Доха — это море небоскребов.

C В деревне Гам в Центральноафриканской республике, где золотодобыча — основной вид деятельности, широко распространен детский труд.

D В Норвегии же — высокий уровень жизни, большинство людей обладают крепким здоровьем и живут долго.

C

D

По данным Всемирного банка, с 1960 года мировой ВВП на душу населения вырос с 450 до 10 тысяч долларов и более. Однако это усредненный показатель, скрывающий индивидуальные различия в уровне благосостояния. Коэффициент Джини показывает, как богатство распределяется внутри страны.

То, что можно измерить в долларах, — лишь часть истории.

Индекс человеческого развития (ИЧР) лучше отражает качество жизни. Он рассчитывается на основе показателей продолжительности жизни, грамотности и уровня доходов. По данным ООН, в 2015 году самый высокий ИЧР был в Норвегии (0,949), самый низкий — в Центральноафриканской республике (0,352). В зажиточных странах население более здоровое, лучше образовано, пользуется демократическими правами и большей личной свободой.

Чтобы понять, есть ли у капитализма будущее, нужно выяснить, обеспечивает ли он более высокое качество жизни большому числу людей или приносит выгоду лишь некоторым.

В этой книге рассказывается, какие выгоды и какой вред принес капитализм человечеству, есть ли у него альтернативы и как его можно было бы изменить к лучшему.

1. Как развивался капитализм

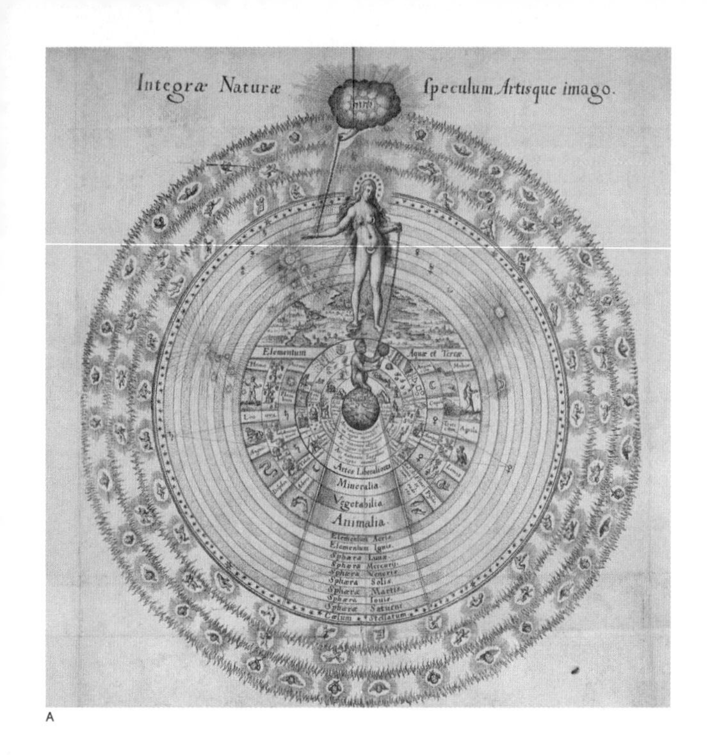

A

Феодализм — распространенная в средневековой Европе система. В феодальном сословном обществе у каждого есть обязательства перед тем, кто обладает более высоким статусом. Большинство людей были крестьянами, обязанными трудиться или отдавать часть плодов своего труда местному землевладельцу, который мог контролировать их жизнь.

Объем выпуска продукции — количество товаров или услуг, которые создает человек, машина или регион в целом.

На протяжении большей части истории экономика пребывала в застое. Истоки системы мировой торговли восходят ко II веку до н. э., когда появился Шелковый путь — сеть сухопутных и морских маршрутов между Азией и Европой, игравшая важную роль вплоть до XV века. Но основой экономики было сельское хозяйство — земледельцы трудились ради выживания или выполняли феодальные повинности.

Современный капитализм зародился в Западной Европе после 1500 года, прежде всего в Голландии и Англии. Накопление капитала и извлечение прибыли играли здесь всё большую роль, пока наконец не стали главной задачей экономики. Эти перемены сопровождались ростом международной торговли, становлением финансовых институтов, разработкой новых экономических теорий и технологий, повышавших производительность труда. Тем не менее в последующие три столетия экономический рост в большинстве стран оставался слабым — не более 2 % за десятилетие.

Экономика страны растет благодаря трем факторам: росту населения, развитию технологий и социальных институтов. В Великобритании все они претерпели существенные изменения в раннее Новое время, в результате чего именно в этой стране произошла первая промышленная революция (она началась в середине XVIII века и продолжалась до 30-х годов XIX века).

Этот процесс можно рассматривать как переход от органической экономики к неорганической. В основе органической экономики лежит мускульная сила людей и животных, а также механизмы, которые она может приводить в движение. Их дополняют устройства, использующие природные источники энергии вроде ветра и воды (ветряные и водяные мельницы). Ограниченный объем земли и извлекаемых из нее ресурсов сдерживали рост. Неорганическая экономика может расти намного быстрее, так как опирается на использование механической энергии, добываемой из ископаемых ресурсов вроде угля и нефти. При правильном использовании машины обеспечивают постоянный объем выпуска продукции.

A «Великая цепь существования» Роберта Фладда иллюстрирует представление о том, что всё во Вселенной — людей, животных, растения и минеральное сырье — можно выстроить в иерархическом порядке.

B На миниатюре месяца августа из календаря Псалтыри Королевы Марии (около 1310) изображен надсмотрщик, руководящий крепостными во время жатвы. В течение последующих пяти веков сельское хозяйство приносило мало прибыли (или вообще не приносило) и зависело от превратностей погоды.

На Западе период с начала XVII до конца XVIII века стал временем Просвещения и Научной революции. В эту эпоху произошли значительные перемены в интеллектуальной сфере и философии, способствовавшие развитию более рационального мировоззрения. Систематизация облегчила распространение новых идей и знаний, равно как и их развитие и практическое применение.

B

Ключевыми событиями стали изобретение парового двигателя и механизация текстильного производства. И то и другое произошло в Великобритании, потому что только в этой стране подобные изменения могли принести прибыль. Дело в том, что в XVII веке зарплаты в Великобритании были выше, чем в других странах, поэтому труд дорого обходился собственникам предприятий. Это послужило стимулом для разработки и внедрения трудосберегающих устройств, которых не существовало там, где труд был дешевле, как, например, в Индии или в Китае.

Первые паровые двигатели были разработаны на рубеже XVII–XVIII веков и предназначались для откачивания воды. Они потребляли много топлива, были ненадежны и не могли применяться в машинах. Лишь в 60–70-е годы XVIII века появился двигатель, обеспечивавший настолько плавное вращательное движение, что его можно было использовать в машинах. В следующем столетии его конструкция постоянно совершенствовалась. В 1760 году из 85 000 л. с., производившихся в Великобритании стационарными источниками энергии, лишь 6 % вырабатывалось за счет пара. В 1907 году пар давал 98 % из 9 842 000 л. с., получаемых от стационарных источников энергии страны.

A «Интерьер, женщина у прялки» (1868), картина Кнута Ларсена Бергслина. До механизации прядение волокна, например шерсти, и изготовление пряжи было одним из основных занятий для женщин, работавших главным образом на дому.

B «Кузница» (1772), картина Джозефа Райта из Дерби. В XVIII веке в Англии были изобретены новые методы производства, повысившие качество железа и снизившие его стоимость.

C В XIX и в начале XX века Уэльс был одним из основных угольных бассейнов в мире. На этой иллюстрации показаны копер, лебедка и тележки для угля на шахте в разрезе Понси в Монмуте в 1888 году.

D На некоторых угольных шахтах безработным разрешалось бесплатно собирать уголь на отвалах. Эта фотография была сделана в 1936 году в Силфинидде близ Понтиприта, в долинах Южного Уэльса.

A

B

C

D

Благодаря дешевизне угля неэффективность раннего парового двигателя обходилась не так дорого. Великобритания, обладавшая большими запасами этого топлива, стала первой использовать его в промышленности. В 1800 году на эту страну приходилось 90 % мировой добычи угля.

Начавшись в текстильной отрасли в середине XVIII века, промышленная революция преобразила производственную сферу. Всего за столетие внедрение ряда изобретений обеспечило паровую механизацию текстильного производства в Великобритании и резкий рост производительности труда.

A

В 1750 году на производство 100 фунтов хлопка уходило около 100 тысяч рабочих часов. В начале XIX века — всего 100 часов. Методы текстильной промышленности копировались в других отраслях, таких как металлообработка и керамика, и в других странах (в континентальной Европе Бельгия первой позаимствовала эту технологию). Начавшись со стремления производить дешевые текстильные изделия, механизация со временем преобразила общество. Механические устройства были слишком велики и дороги для домашнего использования, поэтому было разумнее сосредотачивать производство на фабриках, где эффект масштаба позволял снижать издержки. Это способствовало урбанизации, поскольку фабрики, как правило, располагались в городах, ближе к трудовым ресурсам, рынкам и транспортным узлам.

Раньше рабочие сами определяли свой ритм работы. На фабриках график и условия труда стали регулировать наниматели. Разделение труда привело к специализации рабочих, повысившей их производительность. Тем временем рост производительности сельского хозяйства, обеспечивавшийся новыми, более эффективными методами землепользования, высвобождал трудовые ресурсы для промышленности.

A «Прядильщицы на ткацкой фабрике» (1911). На фотографии Льюиса Хайна изображены дети-рабочие. Снимки Хайна стали одним из доводов, заставивших власти США ввести законы, регулировавшие детский труд.

B В 1763–1775 годах Джеймс Уатт и его деловой партнер Мэтью Болтон спроектировали паровой двигатель, который был эффективнее предыдущих разработок и обеспечивал плавное вращательное движение.

Огромное значение для набиравшей ход индустриализации имел транспорт, развитие которого удешевило и ускорило процесс распределения сырья и промышленных товаров. В 30-е годы XIX века в Великобритании появился новый вид транспорта — паровая железная дорога, благодаря которой сократилось время в пути, перевозки стали надежнее, а их объемы увеличились. Железнодорожные сети появились и в других странах. Особенно быстро они строились в США: в 1830 году здесь было 75 миль (120 км) путей, а в 1890-м — уже 164 тысячи миль (263 933 км). Совершенствование транспорта снизило стоимость сырья для производителей и готовых изделий для потребителей.

Предпринимателям стали доступны рынки, на которых раньше их товары были слишком дороги по сравнению с местными из-за транспортных издержек. Это стимулировало региональную специализацию и конкуренцию.

Эффект масштаба возникает при укрупнении или рационализации предприятия. По мере роста производства распределение постоянных издержек ведет к снижению стоимости единицы продукции. Эффект работает дольше, чем технологические преимущества, исчезающие с внедрением инноваций, или лояльность потребителя (всегда находятся новые клиенты).

Разделение труда представляет собой дробление производственного процесса на различные задачи, каждая из которых выполняется специализирующимся на ней рабочим.

В

Последней составляющей промышленной революции стали институты — структуры, которые люди создают для получения желаемых результатов. К их числу относятся разнообразные договоренности между экономическими субъектами, в том числе политические системы, своды законов и финансовые учреждения.

Великобритания создала гибкие институты, которые стимулировали прежде всего увеличение производительности, а не перераспределение дохода. Это привело к упадку погони за рентным доходом. Первая группа политических институтов — это государство и правовая система. К концу XVII века английский парламент обладал более широкими полномочиями, чем представительные органы прочих стран Европы; иными словами, страна управлялась не по прихоти абсолютного монарха. В английском общем праве особо оговаривались права собственности, в том числе права на получение доходов от изобретений.

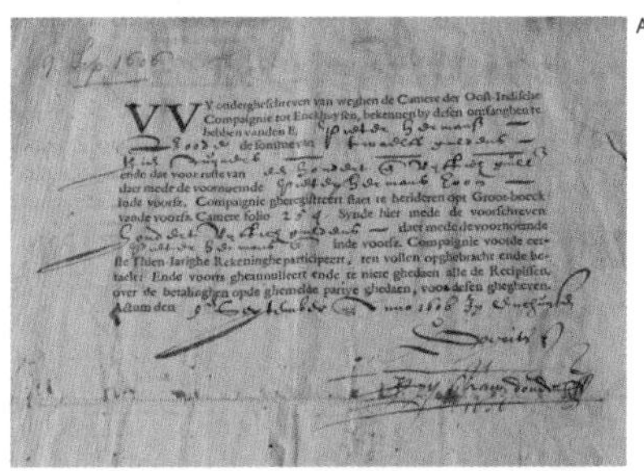

A

B

C

Погоня за рентным доходом — действия, преследующие цель увеличения благосостояния экономического субъекта без повышения общего благосостояния. Например, если компания добивается от правительства принятия законов, ограничивающих конкуренцию, это можно считать рентоориентированной деятельностью, поскольку компания стремится сохранить свою прибыль и долю рынка, но при этом не повышает качество предоставляемых услуг и не снижает цены.

Общее право — основа правовой системы Великобритании, Британского Содружества и США. Многие историки полагают, что оно создает благоприятные условия для экономического роста, поскольку ставит во главу угла права частной собственности и опирается на решения, принимаемые относительно независимыми судами, что обеспечивает большую гибкость.

D

Вторая группа — финансовые институты. В 1694 году был создан Банк Англии, который стал выпускать облигации от имени британского правительства. Годом позже был организован постоянный выпуск банкнот, которые предъявитель мог обменивать на драгоценные металлы по номинальной стоимости.

A Сертификат акций (1606) Голландской Ост-Индской компании — один из старейших подобных документов в мире.

B Банкнота (1699) номиналом £555, выпущенная Банком Англии.

C До реформы 1844 года частные британские банки могли выпускать свои банкноты, такие как эта банкнота Berwick Bank 1818 года.

D Амстердамская биржа (1611), где осуществлялись сделки с товарами и облигациями, сначала использовалась Ост-Индской компанией, а затем и другими фирмами. В 1835 году здание было снесено.

Облигации — ценные бумаги, при помощи которых компании или государства одалживают деньги. Держатель облигаций является кредитором, эмитент — заемщиком. «Купон» показывает процент, который заемщик должен выплатить кредитору, и дату, когда заем должен быть погашен.

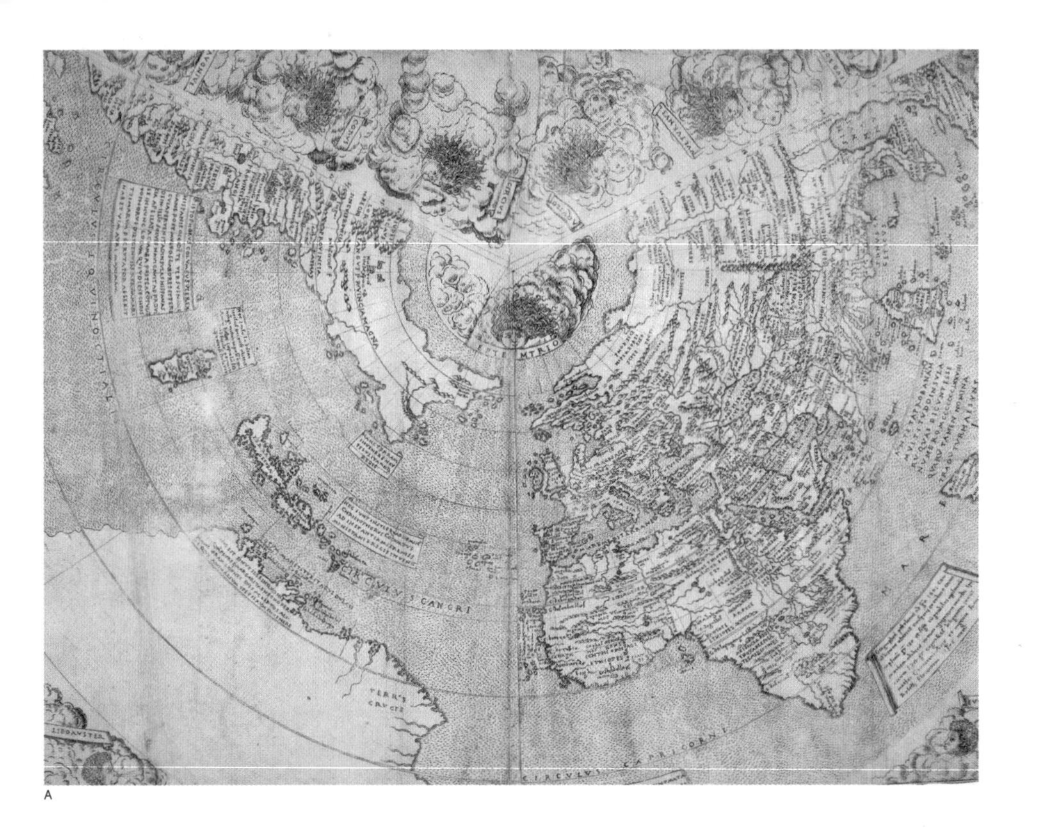

A

Банкноты упростили осуществление сделок, хотя люди доверяли им, только если были уверены, что банк-эмитент имел достаточно золота для обеспечения выпущенных в обращение бумажных денег.

Если банк терял доверие потребителей, его ждал крах.

Большое значение имели акции и инструменты торговли ими, которые диверсифицировали риск и расширяли инвестиционную базу. Акционерные общества, появившиеся в Англии в середине XVI века, выпускали акции (их также называют долями капитала), которые покупали инвесторы, получавшие в собственности компании соответствующую долю. Первая английская фондовая биржа возникла в лондонских кофейнях, а в 1611 году в Амстердаме открылась настоящая фондовая биржа (в Лондоне биржа официально была основана в 1801 году).

В 90-е годы XV века становление капитализма в Европе положило начало Великим географическим открытиям. В последующие пять столетий европейские державы создали колониальные империи в Америке, Африке, Океании и Азии, руководствуясь в первую очередь экономическими соображениями: заморские колонии поставляли отсутствовавшее в Европе сырье вроде хлопка, сахара и чая и обеспечивали рынок сбыта для европейских производителей. Первая волна европейского империализма охватила обе Америки. Колониальные режимы Испании и Португалии были нацелены прежде всего на добычу драгоценных металлов.

Контакты с европейцами нанесли огромный ущерб местным сообществам, особенно в Америке. Такие болезни, как оспа и грипп, к которым у местного населения не было иммунитета, выкашивали целые поселения. В некоторых областях смертность превышала 90 %.

B

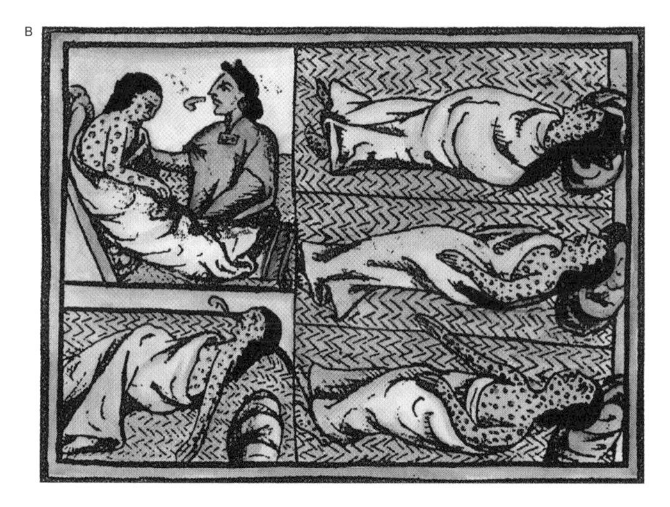

A Эта Планисфера (1506) Джованни Маттео Контарини, украшенная гравюрами Франческо Росселли, стала первой печатной картой мира, на которой был частично изображен американский континент.

B «Флорентийский кодекс» Бернардино де Саагуна (XVI век) рассказывает о его исследованиях обществ Центральной Америки. Кодекс украшают более двух тысяч иллюстраций, выполненных индейскими художниками: на некоторых из них изображена вспышка оспы, принесенной испанцами.

В середине XVIII века Испания и Португалия господствовали над Латинской Америкой. В Северной Америке соперничали Великобритания, Франция и Испания. В 1800 году западные державы контролировали 35 % поверхности суши; к 1914 году этот показатель достиг 85 % за счет экспансии в Азии и Африке.

Европейский империализм породил атлантическую работорговлю.

Первые африканские рабы были завезены в Новый Свет в 1502 году. Трудились они в основном на шахтах и плантациях. В XVI веке из Африки ежегодно вывозилось около двух тысяч невольников; в XVII веке их число выросло до 20 тысяч в год и достигло пика в 88 тысяч в 80-е годы XVIII века. Сложилась «атлантическая система», состоявшая из трех этапов:

A

B

Charlestown, July 24th, 1769.
TO BE SOLD,
On THURSDAY the third Day of AUGUST next,
A CARGO
OF
NINETY-FOUR
PRIME, HEALTHY
NEGROES,
CONSISTING OF
Thirty-nine MEN, Fifteen BOYS,
Twenty-four WOMEN, and
Sixteen GIRLS.
JUST ARRIVED,
In the Brigantine DEMBIA, Francis Bare, Master, from SIERRA-LEON, by
DAVID & JOHN DEAS.

C

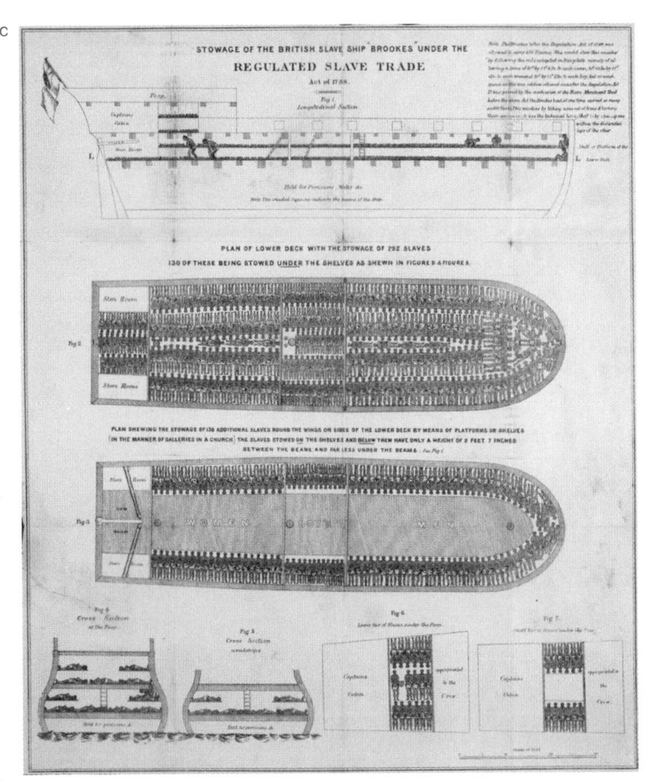

A На одной из самых известных политических карикатур Джеймса Гилрея «Пудинг в опасности» (около 1805) французский император Наполеон Бонапарт и британский премьер-министр Джеймс Питт-младший с жадностью делят мир.

B Объявление 1769 года об аукционе «отменно здоровых» рабов в Южной Каролине.

C Рисунок британского невольничьего судна «Брукс», опубликованный аболиционистами в 1788 году, показывает нечеловеческие условия размещения 400 рабов. Рисунок многократно тиражировался для обличения трансатлантической работорговли.

европейские корабли доставляли ремесленные изделия в Африку, затем перевозили рабов в Америку (где их продавали вдвое или втрое дороже) и, наконец, везли сырье (табак, сахар и хлопок), произведенное рабами, из Америки в Европу. Европейские колонии в Северной Америке вели прямую торговлю с Африкой и Карибским бассейном.

К моменту отмены рабства в Северную Америку были насильно перевезены через Атлантику 12 миллионов африканцев. Около 4 миллионов погибло до прибытия, поскольку невольников транспортировали в совершенно бесчеловечных условиях. Смертность на борту кораблей порой достигала 50 %.

Европейские державы устремились и в Азию, куда их влекли ткани и специи. Для ведения азиатской торговли были созданы акционерные компании, самые известные из которых — Английская и Голландская Ост-Индские компании (в 1600 и 1602 году соответственно). Английская Ост-Индская компания превратилась в полноценную колониальную империю, которая управляла большей частью Индии до 1858 года. Китай и Япония формально не стали колониями, но после 1839 года европейские державы, угрожая войной, навязали им «неравноправные договоры», открывавшие их порты для торговли. Империализм был необходимым, но недостаточным условием для индустриализации. Экономики Испании и Португалии оказались в застое, тогда как Великобритания извлекла из заморской торговли максимальную выгоду.

Представления об экономике со временем менялись.

До конца XVIII века государства придерживались меркантилистских взглядов на экономику. Богатство страны определялось запасами драгоценных металлов, которые росли, если торговый баланс был положительным. Правительства субсидировали местное производство и устанавливали тарифы (импортные и экспортные пошлины) на заграничные товары.

A

A На картине «Лорд Клайв встречает Мир Джафара после битвы при Плесси» (около 1762) Фрэнсис Хейман изобразил итоги ключевого сражения 1757 года, победив в котором Ост-Индская компания заложила основы британского владычества над индийским субконтинентом.

B На аверсе этой шотландской монеты из Керколди (1797) помещен портрет Адама Смита, родившегося здесь в 1723 году.

C На оборотной стороне — ремесленный пейзаж с названием его главного труда «О богатстве народов».

В конце XVIII века от этих взглядов отказались. Шотландский экономист Адам Смит заложил основы классической школы экономики, с точки зрения которой индивидуальная свобода действий приносит выгоду всем.

Смит использовал словосочетание «невидимая рука». Несмотря на то что в его трудах эта метафора встречается всего три раза, она приобрела огромное влияние. Ее суть состоит в том, что индивидуальные действия, которые люди совершают из эгоистических побуждений, приносят пользу обществу. Это послужило главным обоснованием представления о том, что ничем не сдерживаемое развитие капитализма положительно влияет на общество.

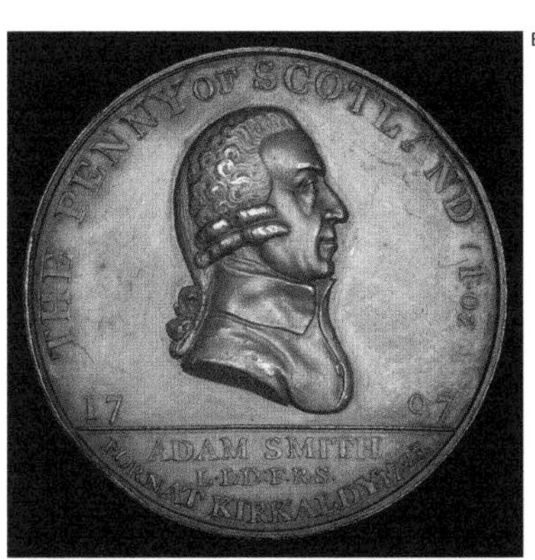

B

C

Меркантилизм — экономическая теория, господствовавшая на Западе с XV до середины XVIII века. С точки зрения меркантилизма страны должны обогащаться за счет своих соседей. Ключевой чертой экономики такого типа является ее ориентация на получение ренты.

Торговый баланс — это разница между стоимостью товаров и услуг, которые страна экспортирует и импортирует. При торговом дефиците стоимость импорта страны превышает стоимость экспорта; в обратном случае наблюдается торговый профицит. Платежный баланс — более широкий термин, включающий в себя все финансовые операции между страной и остальным миром.

Адам Смит (1723–1790) — философ и политэконом (то, что сегодня называется экономической наукой, в ту пору именовалось политической экономией). В 1776 году он опубликовал «О богатстве народов», первый современный труд по экономике.

Ключевой теорией классической школы был «закон рынков», предложенный французским экономистом Жан-Батистом Сэем (1767–1832). Согласно этому закону, «всякий продукт с момента своего создания открывает рынок сбыта для других продуктов на всю величину своей стоимости». Производство создает заработную плату и доход, которые увеличивают благосостояние и порождают спрос. Классические экономисты считали, что правительство должно свести к минимуму свое вмешательство в экономику. Такой подход предполагал, что свободный рынок (на котором цены определяются силами спроса и предложения, а государство старается не вмешиваться) будет максимально эффективен.

Немалым влиянием пользовался утилитаризм, сторонники которого считали, что полезность действия следует оценивать по его результатам, прежде всего по росту общего благосостояния. Применительно к экономике это означает, что действие можно считать полезным даже в том случае, если оно приносит вред части населения.

Как и классические экономисты, представители неоклассической школы, сложившейся в 90-е годы XIX века, считали, что рынки нужно предоставить самим себе. Обе школы придерживались теории рациональности экономических субъектов, которыми движет стремление к максимизации выгоды и к наиболее эффективному достижению своих целей (впоследствии это утверждение было оспорено в рамках поведенческой экономики). Впрочем, между классической и неоклассической школами были и различия. Классические экономисты придерживались «трудовой теории стоимости», измеряя стоимость продукта через объем труда, вложенного в его производство.

A Пассажиры, облепившие поезд в городе Лони, штат Уттар-Прадеш, Северная Индия. Со времени получения независимости в 1947 году население Индии выросло почти в четыре раза. Быстрый рост стал возможным только благодаря индустриализации, поскольку развитие экономики и рост реальных зарплат и благосостояния привели к снижению смертности, прежде всего детской.

B Эту иллюстрацию к «Войне миров» Г. Дж. Уэллса Энрике Алвим Корреа создал в 1906 году. Роман, опубликованный в 1898 году, отразил страх неопределенности, присущий индустриализованному миру.

Поведенческая экономика не считает экономических субъектов рациональными и изучает фактическое поведение людей. По ее представлениям, люди — эмоциональные существа, полагающиеся на эвристику (практические методы, упрощающие принятие решений) и фреймы (смысловые рамки), влияющие на экономическое поведение.

Экстерналии — последствия экономической активности субъекта, с которыми сталкиваются третьи лица. Они могут быть негативными (например, загрязнение природы фабриками) или положительными (например, когда компания разрабатывает новую технологию, повышающую общую производительность). Негативные экстерналии могут регулироваться властями посредством законов или штрафов в размере стоимости наносимого ущерба.

Реальные доходы учитывают инфляцию и потому точнее отражают объем товаров и услуг, которые на них можно купить.

В

Представители неоклассической школы отстаивали «субъективную теорию стоимости», согласно которой стоимость относительна и определяется предпочтениями. Некоторые экономисты, изучавшие экстерналии, поставили под сомнение свободу рынка. По их мнению, в определенных ситуациях государство должно вмешиваться в функционирование капиталистической системы (например, при финансовых кризисах).

После 1820 года капитализм стал быстро развиваться в Западной Европе и Северной Америке. Начался бурный рост населения мира, отчасти вследствие промышленной революции. Сократился возраст вступления в брак, из-за чего выросла рождаемость и увеличилось число детей в семьях. Рост реальных доходов позволил людям жениться раньше и создавать собственные домохозяйства. До XIX века рост населения снижал доходы, поскольку трудовые ресурсы становились доступнее.

Во второй половине XIX века доходы впервые в истории стали увеличиваться одновременно с ростом населения. Мальтузианской катастрофы не случилось.

Быстро увеличивалась и ожидаемая продолжительность жизни. В 1800 году в мире она равнялась в среднем 30 годам, тогда как в 2010–2013 годах стала составлять 71 год. Это привело к значительному росту населения мира, которое в 1800 году составляло 1 миллиард человек, достигло отметки в 7 миллиардов в 2011 году и дойдет до 8 миллиардов в 2024 году.

В течение XIX века ускорился процесс внедрения технологических инноваций. Паровые двигатели стали применяться в кораблестроении, что увеличило мощность трансокеанских

A Рабочие проводят последнюю проверку дуговых угольных ламп перед упаковкой на лондонской фабрике Hammersmith Lamp and Valve Works в 1903 году. Изобретение электрического освещения преобразило экономику, позволив предприятиям работать круглосуточно.

B На заводе Ford River Rouge Complex в Дирборне, штат Мичиган, строительство которого завершилось в 1928 году, производилась полная сборка машин, которые покидали конвейер своим ходом.

A

Мальтузианская катастрофа получила название по имени британского демографа Томаса Роберта Мальтуса (1766–1834), по мнению которого, неконтролируемый демографический рост ведет к ослаблению здоровья населения и падению индивидуальных доходов. Катастрофу могут предотвратить естественные препятствия (голод, война или болезни) и предупредительные меры (контрацепция или решение отложить рождение детей).

в

судов по сравнению с парусным флотом. Появились устройства, которые производили электричество и преобразовывали его в свет или механическую энергию. Электричество использовалось в телеграфе, благодаря которому возникла мировая система коммуникаций. Эти улучшения в области транспорта и коммуникаций дали мощный толчок развитию глобализации.

В 1862 году был разработан первый серийный двигатель внутреннего сгорания, а в 1886 году — первый автомобиль. Электрификация и улучшенные двигатели ускорили переход к массовому производству. На фабриках стали внедряться конвейерные линии, на которых каждый рабочий выполнял отдельное повторяющееся задание. Это повысило производительность труда. В 1914 году на заводе Форда в Мичигане автомобиль модели Т выпускался за 93 минуты рабочего времени. Такие методы снизили производственные издержки и цены.

A

A На фотографии, снятой в 60-е годы XIX века, Карл Маркс позирует со своими дочерьми — Женни, Ларой и Элеонорой — и другом, соавтором и сподвижником Фридрихом Энгельсом (слева). В те годы Маркс и Энгельс жили в Англии, куда бежали от преследований прусских властей.

B «Лига Наций: капиталисты всех стран, соединяйтесь!» (около 1917–1920). На советском плакате в образе жадных плутократов представлены США, Великобритания и Франция, поддерживавшие противников коммунистов в Гражданской войне в России.

C Этот советский плакат (1919) показывает достижения Октябрьской революции. Слева изображен дореволюционный период, когда трудящиеся подвергались угнетению и эксплуатации, справа — новая эпоха, когда пролетариат находится у власти.

Хотя промышленная революция началась в Великобритании, к концу XIX века она перестала быть «мастерской мира». В 1900 году и Германия, и США превосходили ее по общему объему промышленного производства.

Достижения капитализма распределялись неравномерно. Для многих промышленная революция обернулась переездом в грязные, перенаселенные города и удлинением рабочего дня, который они проводили на шумных и небезопасных фабриках. Социализм, возникший в 20–30-е годы XIX века, критиковал безудержную жажду наживы и выступал за создание эгалитарного общества, где ресурсы и товары будут находиться в общественной собственности.

Карл Маркс (1818–1883) и Фридрих Энгельс (1820–1895), немецкие философы-социалисты, эмигрировавшие в Лондон по политическим убеждениям, создали самую значимую антикапиталистическую философию. Марксисты считали, что общество состоит не из индивидов, а из классов, а движущей силой истории являются классовые конфликты. Капитализм — лишь одна из стадий развития общества; ему на смену придет социалистическое общество с централизованной плановой экономикой, контролируемой государством. Для этого рабочий класс должен уничтожить капиталистическую систему революционным путем.

Первая мировая война (1914–1918) развеяла оптимистические надежды на то, что капитализм обеспечит прочный мир посредством установления торговых связей между странами. Война унесла жизни 11 миллионов солдат и 7 миллионов гражданских лиц. Однако, пожалуй, главным результатом конфликта стала Октябрьская революция 1917 года в России, за которой последовало создание СССР, где средства производства принадлежали государству или рабочим кооперативам. В стране было внедрено централизованное планирование, а отсталая экономика, прежде зиждившаяся преимущественно на сельском хозяйстве, пережила быструю индустриализацию. В первые десятилетия советская экономика росла стремительными темпами, но позднее столкнулась с существенными трудностями (см. главу 2).

B

C

А

В США наступили «ревущие двадцатые», десятилетие процветания, когда рынок акций рос как на дрожжах.

Однако 24 октября 1929 года произошел крах Нью-Йоркской фондовой биржи: инвесторы перестали верить в высокую стоимость акций. Экономический пузырь лопнул. Финансовая нестабильность охватила весь мир, накопление активов препятствовало инвестициям, произошел глобальный обвал спроса. Эти события вызвали Великую депрессию, самый сильный финансовый кризис XX века.

А Фотография, отражающая дух «ревущих двадцатых»: толпы людей выходят из театров близ Таймс-сквер в Нью-Йорке в середине 20-х годов.

В Снимок 1937 года, сделанный Маргарет Бург Уайт перед пунктом выдачи помощи во время разлива реки Огайо, одного из худших бедствий времен Великой депрессии, отражает разрыв между реальностью и идеализированной «американской мечтой».

Экономический пузырь возникает, когда цена какого-то актива значительно превышает его внутреннюю стоимость. Как правило, его порождает искусственное взвинчивание цен.

Ее следствиями стали сокращение международной торговли и объемов производства (с 1929 по 1932 год мировой ВВП упал на 15 %) и массовая безработица (30 миллионов человек только в США). Восстановление началось лишь в 1933 году. В результате Великой депрессии в Европе стали пользоваться широкой поддержкой политические экстремисты, предлагавшие радикальные решения. В Германии в 1933 году к власти пришли нацисты. За Великой депрессией последовала Вторая мировая война (1939–1945), в которой приняли участие 92 страны. Под ружьем оказался 121 миллион человек. Погибло 70 миллионов человек, из них более двух третей были гражданскими лицами.

в

A

B

Несмотря на разрушения, причиненные Второй мировой войной, после ее окончания начался экономический бум, продлившийся до 1973 года. Во время этого «золотого века капитализма» подушевой доход ежегодно рос на 2,5 % в США, более чем на 4 % в Европе и более чем на 8 % в Японии. Правительства проводили кейнсианскую политику, нацеленную на обеспечение финансовой стабильности и высокой занятости. Во многих странах были национализированы важные отрасли экономики вроде железных дорог или энергетики и созданы щедрые системы социального обеспечения. Институциональные основы послевоенной мировой экономики были заложены на Бреттон-Вудской конференции, состоявшейся в июле 1944 года в Нью-Гемпшире, США. По ее итогам были созданы Международный валютный фонд (МВФ) и Всемирный банк.

В Западной Европе восстановлению также способствовала американская помощь в рамках Плана Маршалла. Стабильность обменных курсов обеспечивалась привязкой национальных валют к доллару США (например, 1 фунт стерлингов стоил 2,8 доллара), доверие к которому зиждилось на мощи американской экономики и на конвертируемости в золото. В 1947 году было подписано Генеральное соглашение по тарифам и торговле (ГАТТ), которое стало первым из «раундов» соглашений, снизивших торговые барьеры между странами-участницами. К 1994 году количество последних выросло с 23 до 123.

В 1951 году ФРГ, Франция, Италия, Нидерланды, Бельгия и Люксембург создали Европейское объединение угля и стали, положив начало европейской интеграции. Шесть лет спустя в Риме эти страны заключили договор о свободной торговле и создали Европейское экономическое сообщество (Великобритания присоединилась к нему в 1973 году).

Кейнсианская политика получила название по имени британского экономиста Джона Мейнарда Кейнса (1883–1946), считавшего, что экономикой движет совокупный спрос. Ключевой постулат кейнсианства заключался в том, что государство должно отдавать приоритет не микроэкономической политике (сосредоточенной на отдельных индивидах и предприятиях), а макроэкономической (рассматривающей экономику как единое целое). В периоды спадов государство должно поддерживать спрос, наращивая расходы и снижая налоги.

Всемирный банк преследует цель снижения бедности за счет содействия устойчивому экономическому росту в развивающихся странах. С 1947 года банк обеспечил финансирование более чем 12 тысяч проектов в форме грантов или кредитов с льготной ставкой.

Международный валютный фонд был основан для обеспечения стабильности международной экономики. Каждая из 189 стран-членов выплачивает «квоту», рассчитанную на основе ее экономической мощи. Квота предопределяет максимальные финансовые обязательства страны, число голосов и доступ к средствам МВФ (в 2016 году они составляли 668 миллиардов долларов). Фонд предоставляет финансовую помощь странам, которые не могут нормализовать свой платежный баланс, — в основном в обмен на сокращение государственных расходов. Займы позволяют странам избежать финансового краха.

План Маршалла предусматривал оказание помощи странам Западной Европы на общую сумму 13 миллиардов долларов в период с 1948 по 1952 год. Он был назван по имени Джорджа Маршалла (1880–1959), тогдашнего государственного секретаря США. Восточный блок, ведомый СССР, от помощи отказался.

C

A Последствия гиперинфляции. В 1923 году Германия пережила быстрый рост цен, поскольку правительство, нуждавшееся в иностранной валюте для выплаты военных репараций, печатало всё больше бумажных денег. Банкноты, по сути, утратили всякую ценность.

B Вследствие обвала стоимости германской марки стало дешевле оклеивать стены банкнотами, чем обоями. Международные организации вроде МВФ помогают странам избегать подобных финансовых потрясений.

C В Бреттон-Вудской конференции 1944 года в отеле «Маунт Вашингтон» участвовали представители 44 стран.

Другим важным процессом этого периода стала деколонизация. Большинство европейских колоний обрели независимость, нередко после ожесточенной борьбы (как во Вьетнаме и в Алжире). Некоторые из них столкнулись с новыми трудностями, но в целом экономика освободившихся стран быстро росла благодаря индустриализации и внедрению новых технологий. Особенно высокие темпы экономического роста показывали так называемые восточноазиатские тигры — Южная Корея, Гонконг, Сингапур и Тайвань. Правительства этих стран проводили политику, нацеленную на обеспечение стабильности, например заботясь о надежности банковской системы. Кроме того, они инвестировали в человеческий капитал, внедряя всеобщее начальное и расширяя среднее и высшее образование: это способствовало повышению квалификации рабочей силы. В этих странах государство сотрудничало с частными компаниями, предоставляя информацию и субсидии некоторым отраслям промышленности (например, текстильной, пластмассовой, электронной и автомобильной). Благодаря этим мерам страны наращивали экспорт готовой продукции по всему миру, который подпитывал экономический рост.

Послевоенный бум застопорился в начале 70-х годов XX века. В 1971 году США отменили конвертируемость доллара в золото, что подорвало доверие к их валюте. Прочие страны перестали привязывать обменные курсы своих валют к американскому доллару, в результате чего те стали «плавающими», что усилило финансовую нестабильность.

A

B

A Утренняя очередь на бензозаправке в Орегоне в 1973 году, во время первого нефтяного кризиса. Топливо продавалось в порядке живой очереди, в количестве пяти галлонов на машину.

B В некоторых штатах было введено нормирование по номерным знакам. Четные номера могли заправляться по четным числам месяца, нечетные — по нечетным. Тем не менее по мере продолжения нефтяного кризиса 1973 года многим заправкам пришлось закрыться.

Кризис разразился в 1973 году, когда ближневосточные страны — экспортеры нефти ввели эмбарго в ответ на поддержку Израиля со стороны США. Эмбарго действовало на протяжении шести месяцев и привело к росту цен на нефть с 3 до 12 долларов за баррель. Второй нефтяной кризис произошел в 1979 году, после Иранской революции. Эти кризисы повлекли за собой инфляцию и рецессию мировой экономики в 1974–1975 и в 1980–1983 годах. Ранее не встречавшееся сочетание рецессии и роста цен получило название «стагфляция»: прежде считалось, что в период рецессии цены снижаются.

A

С конца 70-х до 90-х годов XX века многие страны — в первую очередь Великобритания и США — провели неолиберальные экономические реформы, направленные на уменьшение роли государства в экономике и усиление позиций частного сектора. Реформы отличались от страны к стране, но в целом включали приватизацию государственных предприятий, дерегулирование и сокращение налогов на богатых. Были урезаны программы социального обеспечения — считалось, что это заставит бедняков больше работать.

Эти реформы исходили из экономических теорий, обосновывавших необходимость стимулирования предложения: рост обеспечивается путем снижения барьеров, ограничивающих производство товаров и услуг, — это увеличит предложение и снизит издержки. Деловая активность расширится, элита станет тратить больше, и ее растущее богатство начнет «стекать» остальным. Однако многие из этих утверждений оказались неверными. Такая политика вела к росту и обеспечивала процветание немногих, но благосостояние распределялось неравномерно, что в долгосрочном плане вело к финансовой нестабильности (см. главу 3).

Успех реформ оказался недолговечным, как показывает пример Японии. В 80-е годы ее экономика переживала бум, стоимость акций и недвижимости быстро росла (поговаривали, что, когда пузырь достиг максимальных размеров, 340 гектаров императорских земель в Токио стоили больше, чем вся калифорнийская недвижимость). Однако затем бум прекратился, а 90-е годы, когда произошло падение стоимости акций, ВВП и реальных зарплат, стали для Японии «потерянным десятилетием».

Падение Берлинской стены в 1989 году обозначило завершение холодной войны. Два года спустя распался СССР.

С крахом советского блока многие бывшие социалистические страны стали переходить к капитализму.

B

A Saatchi & Saatchi выпустила этот плакат для предвыборной кампании Консервативной партии в 1979 году. Победа тори над лейбористами привела Маргарет Тэтчер в кресло премьер-министра, которое она занимала в течение 11 лет. Ее неолиберальные реформы сильно изменили Великобританию.

B О падении Берлинской стены было объявлено 9 ноября 1989 года. Разрушение стены, которая была символом раскола между капиталистическим Западом и коммунистическим Востоком, стало предвестием окончания холодной войны и краха Восточного блока.

С точки зрения **неолиберализма**, истоки которого восходят к либерализму XIX века, государство не должно вмешиваться в экономику, а свободный рынок является лучшим средством для достижения процветания.

Во многих странах этот процесс протекал трудно, сопровождаясь высокой безработицей и инфляцией. Сильно пострадала Россия: за 7 лет ее ВВП сократился на 40 %. Китай, где коммунисты пришли к власти в 1949 году, в теории остался социалистическим, но с 1978 года стал постепенно расширять торговлю с капиталистическими странами.

В 90-е годы продолжились глобализация и экономическая интеграция. В 1993 году был создан Европейский союз (ЕС), где сложился общий рынок со свободным передвижением товаров, услуг, людей и капиталов. В него вошли бывшие коммунистические страны Восточной Европы, и к 2004 году количество членов достигло 28 (19 из них используют общую валюту — евро). Число членов уменьшится на одного после выхода Великобритании, где в 2016 году прошел референдум о Брексите. Заключенное в 1994 году Северо-Американское соглашение о свободной торговле снизило торговые барьеры между Канадой, Мексикой и США. Год спустя на смену ГАТТ пришла Всемирная торговая организация (ВТО), которая охватывает больше стран и располагает более широкими полномочиями. ВТО — это международный форум, где заключаются торговые сделки и улаживаются споры. В 2016 году Афганистан стал 164-м членом ВТО — теперь на участников организации приходится 98 % мировой торговли.

A

A На внеочередном заседании Европейского совета в Брюсселе 29 октября 1993 года делегаты одобрили вступление в силу Маастрихтского договора, подписанного годом ранее, что открыло путь к созданию ЕС.

B Демонстрации против глобализации, прошедшие в 1999 году в Сиэтле и вылившиеся в столкновения с полицией, отодвинули на второй план проходившую там министерскую конференцию ВТО.

в

В то время как углублялась интеграция мировой экономики, интернет произвел революцию в коммуникациях, ускорив глобализацию.

К концу 90-х годов национальные экономики оказались тесно связаны друг с другом, что делало их более уязвимыми перед угрозой финансовых потрясений. Это показал азиатский кризис 1997 года. Быстро развивающиеся экономики Южной Кореи, Таиланда, Малайзии и Индонезии и их валюты рухнули после того, как улетучилось доверие к их переоцененным рынкам. Для стабилизации ситуации МВФ предоставил финансовую помощь в размере 40 миллиардов долларов, но кризис распространился по всей Восточной Азии и в 1998 году спровоцировал финансовые потрясения в России, Бразилии и Аргентине. На этом фоне стало развиваться антиглобалистское движение, ярко проявившее себя в ходе протестов 1999 года в Сиэтле, где проходила конференция ВТО.

A

После 1995 года растущая доступность интернета привела к быстрому росту стоимости акций компаний, связанных с информационными технологиями. Но в 1999–2001 годах пузырь доткомов лопнул, а капитализация IT-компаний упала на 6 триллионов долларов. Масштабы краха хорошо показывает динамика акций социальной сети theGlobe.com. На биржу они были выпущены 13 ноября 1998 года, и всего за один день стоимость акций выросла на 600 %, достигнув 63,5 доллара. Но уже в 2001 году акции продавались по цене 7 центов. Компания прекратила свою деятельность в 2008 году.

Новое тысячелетие большинство стран Европы (за исключением Великобритании) и США встретили в состоянии рецессии. Оставалась в кризисе и Япония.

A В марте 2016 года в Лондоне прошел марш протеста, участники которого потребовали покончить с политикой бюджетной экономии, проводимой консерваторами.

B В 2012 году в Лондоне тысячи людей выступили против урезания госрасходов. Некоторые надели маску Гая Фокса, ставшую отличительной чертой многих протестных групп.

В большей части мира рост возобновился в середине 2000-х годов. Воцарился оптимизм и вера в то, что наступила новая эпоха постоянной стабильности. Однако мировой финансовый кризис 2008 года разрушил эти иллюзии (см. главу 3). Десятилетие спустя он по-прежнему определяет вектор развития современной экономики.

в

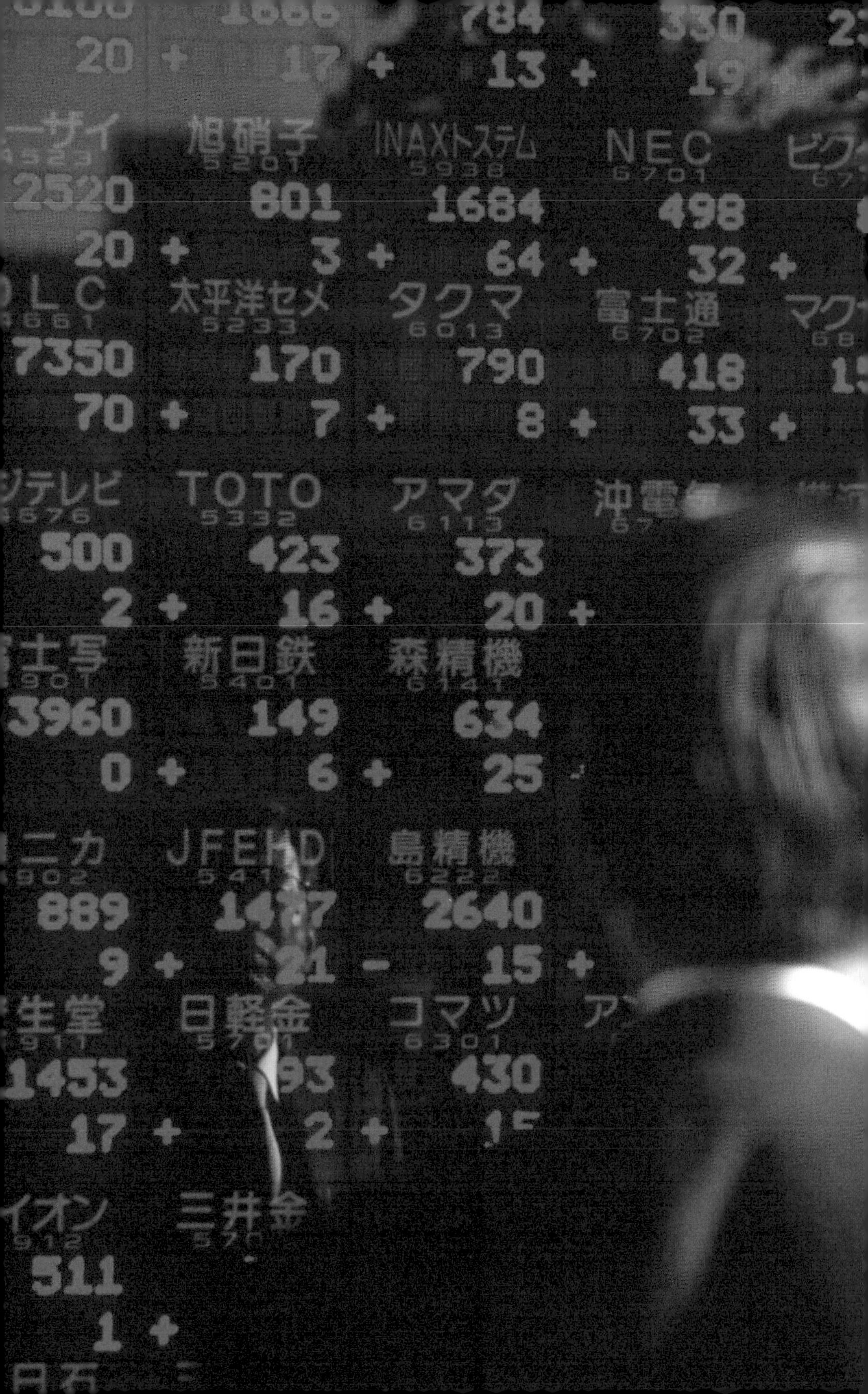

旭硝子 5201 801 + 3
INAXトステム 5938 1684 + 64
NEC 6701 498 + 32
太平洋セメ 5233 170 + 7
タクマ 6013 790 + 8
富士通 6702 418 + 33
TOTO 5332 423 + 16
アマダ 6113 373 + 20
新日鉄 5401 149 + 6
森精機 6141 634 + 25
島精機 6222 2640 + 15
コマツ 6301 430

2. Как функционирует современный капитализм

A

У капитализма есть будущее. Книга, которую вы читаете, тому доказательство.

Вне зависимости от того, читаете ли вы эту книгу в бумажном или в электронном формате, она представляет собой результат ряда сложных взаимосвязанных процессов, в которые вовлечены тысячи людей. На каждой стадии производства каждый участник руководствуется эгоистическими интересами.

Эта мысль не нова. В 1958 году американский предприниматель Леонард Э. Рид на примере карандаша показал, как простой предмет изготавливается благодаря слаженным действиям множества людей. Их объединяет не дух сотрудничества, а стремление к получению прибыли. Однако, обогащая себя, индивиды могут создавать значительную выгоду для потребителей. В борьбе за максимизацию прибыли и повышение производительности товары становятся качественнее, а процесс их изготовления — дешевле и эффективнее. Так работает «невидимая рука» Адама Смита (см. главу 1). Она действует незаметно, но обладает большой силой — если ей не препятствовать, она заставит работать спрос и предложение на пользу всему обществу.

Идеализировать прошлое в принципе неверно. До XIX века и до появления «невидимой руки» капитализма жизнь большинства людей была трудной, однообразной и непродолжительной.

Столетиями большинство людей с трудом выживало, занимаясь сельским хозяйством. Почти повсюду земледелие едва обеспечивало минимальные потребности и одного неурожая было достаточно, чтобы обречь семьи на голод. Экономический рост практически не ощущался. С 1000 по 1820-е годы доход на душу населения рос менее чем на 0,13 % в год. Крепким здоровьем люди не отличались и жили недолго. Каждый третий ребенок умирал, не дожив до года, в результате чего средняя продолжительность жизни составляла 30 лет.

Леонард Э. Рид (1898–1983) был плодовитым автором и одним из самых влиятельных представителей либертарианской философии в XX веке. Его самая известная работа — «Я, карандаш» (1958).

Доход на душу населения отражает средний доход на данной территории (обычно в той или иной стране), показывая, насколько она зажиточна. Его рассчитывают, деля общий доход на количество жителей.

A На картине «Сборщицы колосьев» (1857) художника Жана-Франсуа Милле изображены три крестьянки, подбирающие несжатые колосья пшеницы. Для многих бедняков в Европе сбор колосьев был одним из главных способов дополнить свой рацион.

B На фотографии «Возвращение с болот» Питера Генри Эмерсона (около 1886) показаны поденщики, работавшие на Фенских болотах в Восточной Англии. Снимки Эмерсона запечатлели сельскую жизнь XIX века.

Сегодня во всем мире среднестатистический новорожденный ребенок может надеяться прожить более 70 лет. Люди живут дольше и богаче, чем когда-либо еще. Шотландский экономист сэр Ангус Дитон называет эти перемены «великим избавлением». Он утверждает, что с 1945 года «быстрый экономический рост во многих странах спас от нужды сотни миллионов людей».

Такая невиданная в истории трансформация обеспечена в первую очередь силами, высвобожденными капитализмом. На протяжении последнего полувека количество детских смертей сокращалось каждый год. В Китае и Индии, на которые приходится более трети мирового населения, ожидаемая продолжительность жизни при рождении составляет 75 и 65 лет соответственно. Улучшения ощущаются и в наши дни. По данным Всемирной организации здравоохранения, в 1990 году скончалось 12,6 миллиона детей в возрасте до пяти лет. К 2015 году эта цифра сократилась до 5,9 миллиона — более чем наполовину.

A Комбайны резко сократили количество времени и труда в сфере пахотного земледелия: хедер комбайна автоматически срезает и собирает колосья. Чем шире хедер, тем эффективнее сбор урожая.

B Конкуренция в капиталистическом обществе стимулирует инновации. В каждой стеклянной автомобильной башне Volkswagen в Аутоштадте, Германия, находятся 800 автомобилей. Они доставляются покупателям при помощи элеватора, поэтому при получении счетчик пробега показывает «0».

Сэр Ангус Дитон (род. 1945) получил Нобелевскую премию по экономике в 2015 году, а год спустя был пожалован в рыцари. Изучает проблемы бедности, здоровья, неравенства и экономического развития.

A

В

Деньги ведут к счастью — это неудивительно.

Согласно подготовленному ООН Всемирному докладу о счастье за 2017 год, существует устойчивая корреляция между уровнем ВВП на душу населения и ощущением удовлетворенности жизнью.

Капитализм стимулирует инновации. Промышленная революция началась в XVIII веке в Великобритании, когда производители текстиля стали вкладывать средства в трудосберегающие устройства с целью сократить издержки и увеличить прибыль. Во всех отраслях экономики началась механизация, снизившая издержки и увеличившая производительность. Она продолжилась в XIX и в XX веках.

В прошлом столетии производительность сельского хозяйства неуклонно повышалась: с 1930 по 2000 год сельскохозяйственное производство в США выросло в четыре раза. Такой рост был обеспечен технологическими инновациями, которые увеличили объемы производства еды и снизили трудоемкость. В 1900 году на засев, выращивание и жатву одного акра злаков требовалось 38 рабочих часов. Теперь на это уходит меньше трех часов. Технология освободила миллиарды людей от изнурительного ручного труда. В 1800 году мировой ВВП на душу населения составлял около 200 долларов, в 2000 году он был в 30 раз выше.

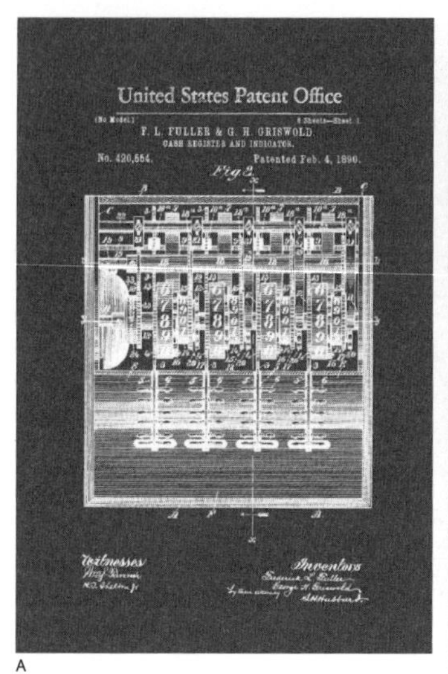

A

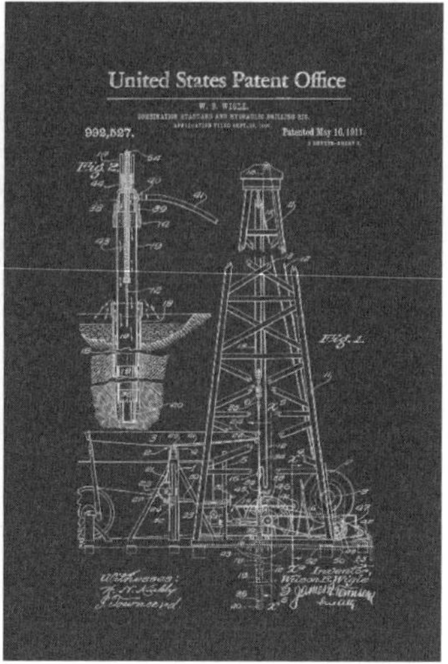

B

A Вложения в инновации могут быть очень прибыльными. Изобретатели защищают себя посредством патентов, предоставляющих им исключительные права на свои разработки. На иллюстрации патент на кассовый аппарат Фредерика Л. Фуллера (1890).

B Этот патент на сочетание стандартной и гидравлической буровой установки Уилсона Б. Уигла был выдан Патентным ведомством США в 1911 году.

C Поступательные инновации тоже могут быть очень прибыльными. Apple выпустила первый iPhone в 2007 году, а в 2016 году был продан миллиардный экземпляр.

Первым крупным экономистом, признавшим, что технологические изменения существенно влияют на экономический рост, был не кто иной, как Карл Маркс (см. главу 1). Однако его предсказание, что капитализм обречен, оказалось менее прозорливым.

В середине XX века экономист Йозеф Шумпетер высказал мысль, что динамизм капитализма обеспечивается за счет новых технологий. Важную роль играют и другие факторы, такие как труд и финансы, но было бы полным безрассудством отрицать значение инноваций. Для описания постоянных волн изменений экономики под влиянием инноваций Шумпетер позаимствовал у марксистских экономистов метафору «шторма созидательного разрушения». Этот процесс естественным образом ведет к устареванию технологий и может быть болезненным для рабочих, которые в результате теряют работу. Тем не менее в долгосрочном плане созидательное разрушение увеличивает производительность. Потеря рабочих мест — неотъемлемая черта современного капитализма, но она не всегда ведет к постоянной безработице: например, с 1999 по 2009 год в частном секторе США было потеряно 338,9 миллиона рабочих мест, но при этом было создано 337,5 миллиона новых.

Йозеф Шумпетер (1883–1950) – экономист, родившийся в нынешней Чехии (тогда она была частью Австро-Венгрии) и переехавший в 1932 году в США. Он утверждал, что капитализм развивается благодаря инновациям, которые на короткий срок обеспечивают разработчикам монополию и высокие доходы (предпринимательскую прибыль). Шумпетер питал сомнения относительно будущего капитализма, полагая, что растущая бюрократия подорвет индивидуальное предпринимательство. Этот скептицизм не оправдался. Последователи Шумпетера развили его идеи, приняв во внимание более широкий контекст инноваций (то есть включив в него компании, правительства и систему образования): этот подход получил название Национальной инновационной системы.

Изобретениям, благодаря которым наша жизнь становится дольше, безопаснее, проще и интереснее, мы обязаны вовсе не альтруистическим мотивам. В капиталистической системе изобретатели вроде Илона Маска (род. 1971) и Стива Джобса (1955–2011) инвестировали в новые открытия, потому что были уверены, что это принесет им прибыль. Стремление к прибыли стимулирует инновации.

C

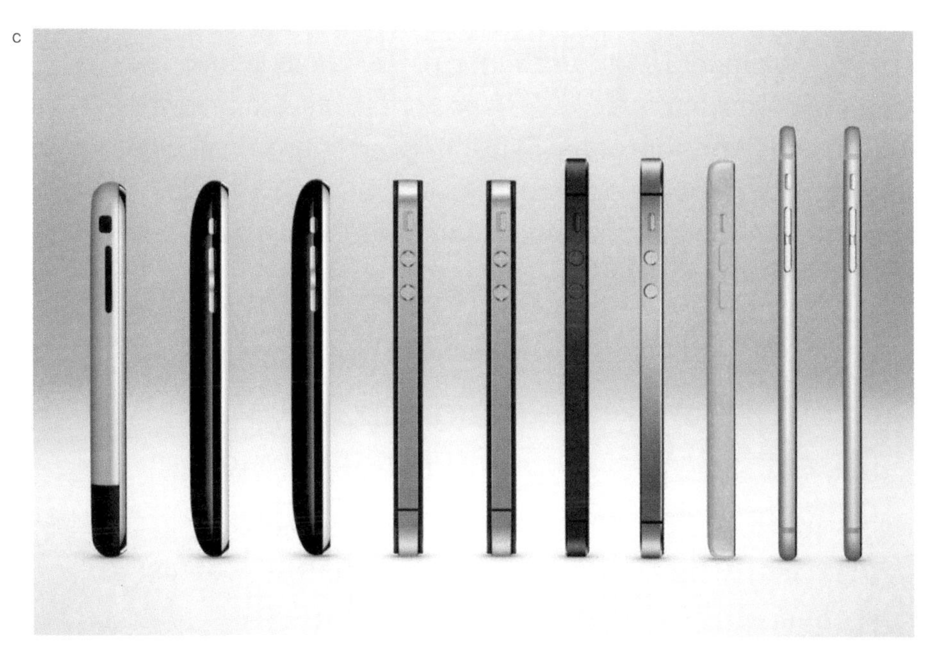

A

B

Патентное право предоставляет индивиду или организации исключительные права на изобретение. Оно не позволяет конкурентам использовать или получать прибыль от него без предварительного разрешения.

Либерализм — политическая философия, получившая широкое распространение в эпоху Просвещения. В центре ее внимания — защита прав индивида. В экономическом плане либерализм отстаивает права частной собственности и выступает за свободную торговлю и конкуренцию.

Это происходит благодаря патентному праву, которое является частью институциональной структуры капиталистической системы. Имеются в виду не только «макроизобретения» вроде микропроцессора, двигателя внутреннего сгорания или электрической лампочки. На основе существующих технологий совершаются «микроизобретения», повышающие их эффективность и имеющие ключевое значение для прогресса. Эти поступательные инновации обеспечивают постоянный рост производительности (например, после своего появления в 2007 году iPhone непрерывно совершенствовался, и последняя модель более чем в пять раз мощнее первой).

В XXI веке будут совершены новые прорывы в биотехнологиях, медицине, обработке данных, телекоммуникациях и множестве других сфер — потому что потребители готовы за них платить.

Либерализм делает акцент на правах индивида. В политической сфере его принято связывать со становлением конституционной демократии и верховенством закона, когда короли и знать перестали властвовать по праву рождения. В экономическом плане либерализм гарантирует людям право распоряжаться своей собственностью и заниматься любым видом деятельности, что способствует развитию капиталистической системы. Хотя есть мнение, что эгоистичные автократы могут действовать в общественных интересах, демократии создают лучшие условия для экономики. Согласно исследованию MIT, переход страны от недемократического режима к демократическому в долгосрочном плане обеспечивает увеличение подушевого дохода на 20 %. В том же исследовании указывается, что в последние пятьдесят лет демократизация привела к росту мирового ВВП на 6 %.

A Компания Virgin Galactic, основанная в 2004 году, планирует проводить регулярные коммерческие полеты в космос. На снимке – терминал, ангар и площадка для запуска в Нью-Мехико, США.

B SpaceShipTwo (в центре) — пассажирский космический корабль для суборбитальных полетов. Запускается с двухфюзеляжного судна-носителя WhiteKnightTwo (тот же рисунок).

C В Институте крионики, основанном в 1976 году в штате Мичиган, США, тела умерших клиентов хранятся в жидком азоте в надежде на то, что в будущем появится технология, которая позволит их воскресить.

D Стены Института крионики украшают портреты некоторых людей, чьи тела были заморожены. Всего здесь хранится более 150 «человек».

В **конституционных демократиях** действуют политические партии и проводятся честные и свободные выборы. Эта система регулируется набором законов, которые определяют полномочия правительства и индивидуальные права. Такие конституции могут быть формальным документом (как в США) или неписаным сводом законов и обычаев (как в Великобритании).

C

По мнению американского экономиста Мансура Олсона (1932–1998), **эгоистичные автократы**, придя к власти, могут действовать как «вторая невидимая рука» и способствовать экономическому росту, поскольку их эгоистичное желание получать устойчивый доход заставит их предпринимать действия, нацеленные на сохранение и приумножение благосостояния управляемой ими страны.

D

Демократии обычно стабильнее и менее подвержены коррупции и потому привлекают долгосрочные зарубежные инвестиции. В отличие от социалистического планового хозяйства, при демократии государство старается не слишком вмешиваться в экономику. Это не означает, что оно не играет ключевую роль. Институционалисты подчеркивают важность для капитализма такого института, как государство, которое поддерживает порядок, защищает интеллектуальную собственность, заботится об инфраструктуре и оберегает отечественную промышленность при помощи инструментов внешней политики. Свободная рыночная экономика эффективнее обеспечивает экономический рост.

В определенном смысле превращение США в самую мощную экономику мира — это история триумфа либерализма. По данным Всемирного банка, в 2016 году их ВВП составил 18,6 триллиона долларов, что почти на две трети больше, чем у их ближайшего конкурента Китая (11,2 триллиона), население которого втрое больше.

A Президент США Рональд Рейган и премьер-министр Великобритании Маргарет Тэтчер гуляют с Лаки, одной из собак президента, на лужайке Белого дома в 1985 году. Эти два политика стали глашатаями неолиберализма в 80-е годы.

B В 80-е годы XX века дилеры лично заключали сделки на торговой площадке Лондонской Международной биржи финансовых фьючерсов. Фьючерс — это договор о купле или продаже товара по определенной цене с отложенной датой.

В

Социалистическое плановое хозяйство — ключевая идея марксистской теории, по мнению которой государство должно активно заниматься планированием экономики. Экономическая деятельность ради блага народа должна направляться государством, а не частными компаниями, ориентированными на прибыль.

В 80-е годы XX века влияние неолиберализма быстро росло. Рейган в США и Тэтчер в Великобритании энергично стимулировали развитие свободного рынка посредством дерегулирования, приватизации и сокращения налогов. Они считали, что вмешательство государства в экономику порождает больше проблем, чем решает. К 90-м годам неолиберальные подходы распространились по всему миру и обогатили миллионы людей.

Но финансовый кризис 2008 года обнажил опасность необузданного неолиберализма. После кризиса политики вынуждены реформировать капитализм для того, чтобы обеспечить экономическую стабильность.

Институционалистская школа подчеркивает значение исторических и социальных факторов, влияющих на экономическое поведение индивидов. Родоначальником школы был норвежско-американский социолог и экономист Торстейн Веблен (1857–1929). Неоинституциональный подход, получивший распространение в 80-е годы XX века, уделяет больше внимания тому, как влияют на экономику институты, а не индивиды.

Интеллектуальная собственность — уникальный концепт или изделие, которое принадлежит индивиду или организации. Другим лицам запрещено его копировать или получать с него прибыль.

Свободный рынок — система, при которой экономика саморегулируется. Ей противопоставляется система, в которой экономическая деятельность регулируется государством. Сторонники свободного рынка требуют устранения торговых ограничений.

Неолиберализм Рейгана и Тэтчер исходил из принципов экономики предложения, согласно которым сокращение налогов и отказ от регулирования увеличивают предложение товаров и услуг по более низким ценам, что ведет к уменьшению безработицы.

А

Но не стоит выплескивать капиталистического ребенка вместе с неолиберальной водой. Альтернатива ему еще хуже.

Октябрьская революция 1917 года привела к созданию СССР, чья экономическая система была полностью противоположна капитализму. Частная собственность на средства производства (фабрики, станки, фермы и т. д.) была уничтожена. Производство ориентировалось не на получение прибыли, а на запросы государства. Новая экономическая политика сохраняла некоторые черты капитализма и свободного рынка (контролируемого государством), но ее отменили в 1928 году, когда советский режим, решив ускорить развитие экономики, принял первый пятилетний план (1928–1932). План стал главной экономической составляющей политики «социализма в отдельно взятой стране», выдвинутой Сталиным и преследовавшей цель укрепить СССР.

А Пропагандистский плакат, созданный Виктором Говорковым в 1936 году, в разгар «большого террора», гласит: «Спасибо любимому Сталину за наше счастливое детство».

В Голод, разразившийся на Украине в 1932–1933 годах и унесший жизни миллионов людей, был сознательно организован советскими властями, чтобы добиться ее полного подчинения центру.

в

Сталин стремился провести индустриализацию максимально быстро, чтобы обезопасить страну от нападения извне. Пятилетний план предусматривал рост национального дохода в два раза, а капиталовложений — втрое. Все ресурсы были брошены на развитие тяжелой промышленности: Сталин призвал увеличить выработку угля на 110 %, чугуна на 200 %, электричества на 335 %. Фабрикам ставились производственные задания, выполнить которые было невозможно. Сельское хозяйство подверглось коллективизации; отдельные крестьянские хозяйства были объединены, чтобы повысить производительность и дать рабочим возможность покинуть сельские районы. Отчасти план был выполнен — СССР стал индустриальной страной и выжил во Второй мировой войне — но за это была заплачена высокая цена. Использовался труд заключенных, забастовщиков и прогульщиков расстреливали или отправляли в ГУЛАГ. Особенно пагубной оказалась коллективизация, нарушившая механизмы продовольственного снабжения и вызвавшая в 1932–1933 годах голод, от которого погибло около семи миллионов человек.

Иосиф Сталин (1878–1953) возглавил СССР после смерти его первого вождя, Владимира Ленина (1870–1924). Сталинская экономическая политика была нацелена на полное искоренение капитализма.

После Второй мировой экономика СССР быстро росла. С 1950 по 1973 год ВВП на душу населения ежегодно увеличивался на 3,6 %. Однако рост не был сбалансирован, поскольку опирался на постоянное расширение использования товаров промышленного назначения и сырья. С 1974 по 1984 год советская экономика пребывала в застое, а с 1985 года начался ее спад.

A

A Советские почтовые марки, выпущенные в 1988 году в честь реформ перестройки. Эти реформы были частью политики гласности, которая должна была обеспечить большую прозрачность в управлении.

B Обломки статуи Сталина вывозят из Будапешта (1990). После распада Советского Союза и Восточного блока бывшие коммунистические страны обрели политическую независимость и стали проводить капиталистические реформы, направленные на внедрение свободного рынка.

Михаил Горбачев (род. 1931) был последним руководителем СССР. Возглавив страну в 1985 году, он провел ряд экономических и политических реформ, которые способствовали распаду Советского Союза в 1991 году.

По данным американских экономистов Уильяма Истерли (род. 1957) и Стенли Фишера (род. 1943), в 1960–1989 годах экономические показатели СССР были худшими в мире и не демонстрировали признаков улучшения.

Закосневшая советская бюрократия, неэффективные финансовые институты и отсутствие внутреннего потребительского рынка душили рост и инновации. Спускавшиеся государством нормы выработки не стимулировали улучшения, так как рост производства приводил лишь к повышению плановых заданий.

Премии за производительность выплачивались ежемесячно, что не стимулировало людей заботиться о стратегических задачах.

Единственными отраслями, где внедрялись инновации, были ВПК и авиакосмическая промышленность, но на экономический рост они мало влияли. Как следствие, по производительности советская экономика всё больше отставала от стран Запада и Восточной Азии. Экономическое положение усугублялось из-за военных расходов, бремя которых увеличилось вследствие дорогостоящей и неудачной войны в Афганистане (1979–1989).

Михаил Горбачев, пришедший к власти в 1985 году, попытался решить эти проблемы, начав либерализацию экономики в рамках политики перестройки. Власти стали поощрять частный бизнес и привлекать зарубежные инвестиции. Но было уже слишком поздно.

в

Потребителям стало трудно приобретать даже товары первой необходимости, такие как еда и одежда. Россия, крупнейшая и самая населенная из советских республик, нуждалась в импорте, чтобы обеспечить элементарное выживание населения. СССР распался в 1991 году, после чего бывшие коммунистические страны Центральной и Восточной Европы ринулись строить капитализм.

Коммунистические страны не смогли угнаться за капиталистическими. Более того, коммунизм оказал долговременное отрицательное воздействие на счастье и удовлетворенность жизнью: ВВП на душу населения в бывших коммунистических странах вырос, но субъективное благополучие здесь низкое.

Субъективное благополучие — уровень оценки людьми своего качества жизни. Обычно оно определяется здоровьем и благосостоянием, но важную роль играют и социальные условия.

A 105-этажная гостиница «Рюген» в Пхеньяне, Северная Корея. Строительство, начавшееся в 1987 году, было прервано из-за отсутствия финансирования. Гостиница остается крупнейшим недостроенным зданием в мире.

B Эти снимки, сделанные в 1992 и 2008 годах, показывают световое загрязнение на Корейском полуострове. Большая часть Северной Кореи едва им затронута, что свидетельствует о недостаточном развитии экономики. Южная Корея за эти годы сильно изменилась, что заметно по тому, как развивались области Сеула и Инчхона.

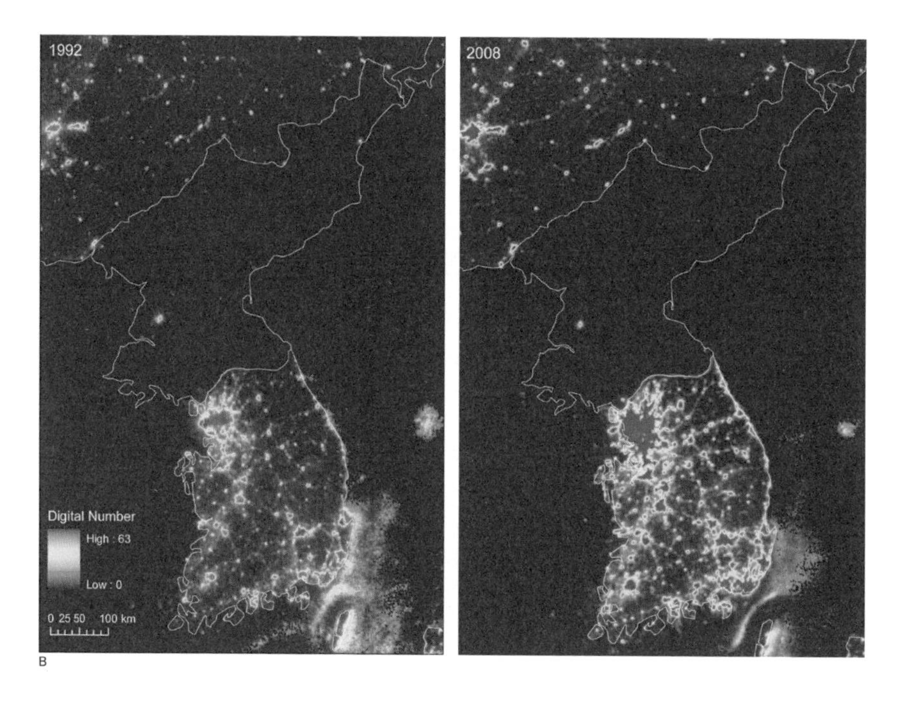

в

Корейский полуостров служит наглядным примером преимуществ капитализма и недостатков коммунизма. После Второй мировой войны он был разделен на две страны. Когда в 1950 году коммунистическая Северная Корея вторглась в Южную, на полуостров были введены силы ООН под командованием США. После окончания войны в 1953 году две страны стали развиваться по совершенно разным путям.

Всего за одно поколение Южная Корея, избравшая капитализм, превратилась из одной из беднейших стран в 11-ю экономику мира, где действуют электронные гиганты вроде Samsung (15-я крупнейшая компания в мире). Жители Южной Кореи живут на 10 лет дольше, чем Северной (в 2015 году продолжительность жизни составила 82 и 70 лет соответственно), а по уровню ВВП на душу населения в 2016 году они были в 40 раз богаче своих соседей.

Коммунистическая Северная Корея остается относительно бедной и неразвитой, а многим ее жителям угрожает голод. С 1994 по 1998 год экономический кризис привел к смерти более чем 300 тысяч человек. Тем временем «дорогой вождь» Ким Чен Ир (1941–2011) ежегодно тратил 800 тысяч долларов только на коньяк. С голодом справилась Всемирная продовольственная программа ООН. По иронии судьбы, капиталистические США и Южная Корея обеспечили около половины гуманитарной помощи.

В Европе подобным примером могут служить Западная и Восточная Германия после 1945 года. Восточногерманская экономика, как и советская, была плановой. К 1960 году коллективизация охватила 85 % земель, внешний долг страны сильно вырос. Западная Германия тем временем переживала «Wirtschaftswunder» («экономическое чудо»). «Социальная рыночная экономика» смягчила идеалы свободного рынка (вроде устранения контроля над ценами и снижения налогов) при помощи мер социальной защиты и пенсионного обеспечения для трудящихся. Когда две Германии объединились в 1991 году, на Западе страны ВВП на душу населения был вдвое выше, чем на Востоке.

A

B

A Длинные очереди за продуктами первой необходимости стали привычной чертой жизни в Восточной Германии. На фотографии — очередь перед мясной лавкой в Восточном Берлине (1986–1990).

B По другую сторону стены, в капиталистическом Западном Берлине, дефицита продовольствия не было. Знаменитое «Кафе Кранцлер» (на снимке 1963 года), заново отстроенное после Второй мировой, стало символом благополучия западных берлинцев.

C Шанхай — глубоководный морской и речной порт. В 2010 году он стал крупнейшим контейнерным портом в мире, обойдя Сингапур, а в 2016 году здесь было перевалено более 500 миллионов тонн грузов.

С

Сегодня, через четверть века после объединения, средняя чистая стоимость активов домохозяйств на Востоке Германии составляет менее половины от соответствующего показателя на Западе. Долгосрочное отрицательное влияние коммунизма ощущается и по сей день.

Международная торговля, являвшаяся на протяжении столетий важной частью мировой экономики, в XX веке значительно изменилась. Благодаря развитию транспорта и коммуникаций торговля на дальние расстояния приобрела невиданное прежде значение. Главным инструментом глобальной системы стал стальной грузовой контейнер. Контейнеризация дала возможность торговать странам, чьи товары раньше были слишком дороги из-за транспортных издержек.

Контейнеризация — перевозка товаров в стальных контейнерах стандартных размеров (обычно длиной 20 или 40 футов), которые можно передвигать механически при помощи кранов и подъемников. Эти контейнеры «интермодальны», то есть их можно легко перемещать с одного вида транспорта на другой (корабли, поезда, грузовики). До контейнеризации товары перевозились как «штучный груз», то есть их нужно было погружать и разгружать по отдельности и сортировать вручную на причале. Этот процесс был очень трудоемким, вследствие чего кораблям приходилось дольше стоять в портах, а перевозки занимали больше времени. Контейнерные перевозки получили распространение в 50–60-е годы XX века. С 1968 года грузоподъемность контейнерных судов увеличилась на 1200 %, а на корабли приходится 90 % грузоперевозок по всему миру. Не будет преувеличением сказать, что без контейнеризации современный капитализм был бы невозможен.

A

Это создало международный рынок, который не только снизил цены для потребителя, но и предоставил им более широкий выбор. Китай и Индия реформировали и либерализовали экономическую политику, постепенно открывшись капитализму. С этого момента уровень жизни в этих странах стал быстро расти. Иными словами, интеграция рынков в международном масштабе приносит выгоду всем нам. Торговые соглашения ведут ко всё более тесной интеграции различных экономик. В 1993 году в ЕС был создан единый рынок со свободным движением товаров, услуг, людей и капиталов. Годом позже Мексика, Канада и США подписали Договор о Североамериканской зоне свободной торговли. С тех пор торговля между этими тремя странами выросла в четыре раза.

В 2016 году было создано Транстихоокеанское партнерство (ТТП), амбициозный проект снижения торговых барьеров между 12 странами Тихоокеанского кольца. Хотя Всемирный банк считал, что оно благотворно повлияет на все входящие в него страны, 23 января 2017 года президент Дональд Трамп (род. 1946) заявил о выходе США из соглашения в рамках политики защиты американской экономики. Трамп также намерен вывести США из Трансатлантического торгового и инвестиционного партнерства, схожей торговой сделки, переговоры о которой ведутся с ЕС.

Такая политика близорука. Низкотехнологичные отрасли американской промышленности (например, текстильная) могут получить кратковременный стимул к развитию, но сфере услуг и высокотехнологичным отраслям (например, фармацевтика и IT, в которых американские инновационные компании обладают большим преимуществом) будет сложнее пробиваться на быстрорастущих рынках Восточной Азии и Южной Америки. Более того, Трамп уничтожает экономическое лидерство США в Тихоокеанском регионе, позволяя Китаю наращивать свое влияние.

A Глобализацию часто связывают с «американизацией», то есть с экспортом американских брендов и потребительских товаров. Рестораны быстрой еды вроде McDonald's и KFC стали привычной частью пейзажа по всему миру, в том числе в Китае.

B Демонстрация в Сантьяго-де-Чили в 2016 году, участники которой выступали против ТТП и деятельности Monsanto Company, одного из крупнейших производителей генетически модифицированных организмов.

Единый рынок. 1 января 1993 года был создан Европейский единый рынок с целью ускорить интеграцию стран — членов ЕС, а также Исландии, Лихтенштейна, Норвегии и Швейцарии. В рамках единого рынка обеспечивается свободное перемещение товаров, капиталов, услуг и людей.

Договор о Североамериканской зоне свободной торговли, подписанный 1 января 1994 года США, Мексикой и Канадой, предусматривал снижение экономических барьеров и стимулирование взаимной торговли.

Переговоры по **Транстихоокеанскому партнерству** начались в 2008 году, а окончательный текст был подписан в Окленде в 2016 году. В него вошли Австралия, Бруней, Вьетнам, Канада, Малайзия, Мексика, Новая Зеландия, Перу, Сингапур, США, Чили и Япония. На эти страны приходится 40 % мирового ВВП. В настоящее время ведутся переговоры по альтернативному торговому соглашению — Всестороннему региональному экономическому партнерству, — в которое не войдут США, Канада, Мексика, Перу и Чили. К новому соглашению присоединятся Индия, Индонезия, Камбоджа, Китай, Лаос, Мьянма, Таиланд, Филиппины и Южная Корея.

B

A

Кристина Фернандес де Киршнер (род. 1953) – президент Аргентины в 2007–2015 годах. Ее левая популистская политика была направлена на защиту и расширение гражданских прав. Она стремилась обеспечить развитие аргентинской экономики путем стимулирования отечественной промышленности.

Глобализация часто становится поводом для критики капиталистической системы. Утверждается, например, что она уничтожает рабочие места и ограничивает рост экономики. На самом деле ситуация сложнее. Локальные экономики сами в состоянии определять свою судьбу. Глобализация ничем не может помочь малопроизводительной и неэффективной экономике. Более того, не все отрасли испытывают воздействие глобализации. Рабочие места, которые поддаются автоматизации, можно перенести и в другие страны, но такие сферы, как строительство, здравоохранение и образование, перевезти невозможно. Основным сектором мировой торговли является промышленность, но даже в ее рамках не всё подвержено воздействию глобализации. Например, большая часть изделий Nike производится на азиатских фабриках, но дизайн, маркетинг и реализация товара по-прежнему должны осуществляться на местах.

A Тайские рабочие изготавливают обувь Nike на фабрике, принадлежащей бангкокской компании Saha Union (1997).

B Чернорабочие трудятся на фабрике по производству одежды в провинции Бакзянг близ Ханоя (2015). По данным Всемирного банка, Вьетнам получил бы наибольшую выгоду среди всех участников ТТП с точки зрения роста ВВП и экспорта.

Глобализация помогает странам развивать свои сильные стороны и тем самым снижает цены. Попытки политиков обратить глобализацию вспять чреваты тяжелыми последствиями для потребителя.

В 2009 году президент Аргентины Кристина Фернандес де Киршнер ввела 50-процентную ввозную пошлину на иностранные товары и подписала закон, предписывавший производителям электроники собирать свои товары в Аргентине. Apple отказалась его исполнять и покинула страну. Аргентинцам стало дешевле летать за айфонами в США, чем покупать их на родине. Прежде всего, телефоны компаний, подчинившихся новому закону, например BlackBerry, были устаревшими и дорогими. Более того, закон породил подпольную торговлю. В 2016 году 15 % из 12 миллионов смартфонов, купленных в Аргентине, были приобретены на черном рынке. В 2017 году ограничения, наложенные на Apple, были сняты, хотя компания по-прежнему должна платить высокую импортную пошлину, из-за которой ее смартфоны стоят на 25 % дороже, чем те, что собираются в стране.

Подумайте обо всех предметах, которые у вас есть, и уберите все те, что были произведены на другом континенте. Что останется у вас дома?

в

3. Кризис капитализма

A

Стремясь заработать как можно больше денег и как можно быстрее, банкиры и финансисты подорвали стабильность мировой экономики.

Применительно к новейшей истории капитализма часто повторяется слово «финансиализация». Им обозначают процесс конвертации любых вещей в свободнообращающиеся финансовые активы, в основном в виде ценных бумаг. Некоторые авторы доказывают, что финансиализация не создает настоящих продуктов, а просто пытается делать деньги из денег. В долгосрочном плане она не способствует экономическому росту, а лишь обогащает финансовые институты.

Этот процесс стал одной из главных причин мирового финансового кризиса 2008 года — худшего после краха Нью-Йоркской биржи в 1929 году (см. главу 1). Начало XXI века было временем «кредитного бума»: в условиях низких ставок банки быстро наращивали объемы кредитования. В погоне за прибылью американские банки выдали миллиарды долларов на покупку домов субстандартным заемщикам, зная, что те не смогут вернуть деньги в срок. К 2006 году около 20 % ипотечных кредитов в США были субстандартными.

В широком смысле **ценные бумаги** — это свободнообращающиеся финансовые активы (хотя точное определение меняется в зависимости от страны). Они высоколиквидны, что привлекает банки и инвесторов. Есть два типа ценных бумаг: облигации (долговые обязательства — организация, у которой инвестор их приобретает, должна вернуть ему долг, как правило, с процентами) и долевые ценные бумаги (доля в акционерном капитале). В ценные бумаги можно обратить практически всё, что угодно: в 1997 году Дэвид Боуи выпустил 10-летние облигации на 55 миллионов долларов, обеспеченные текущими и будущими доходами от его дисков, выпущенных до 1990 года.

Мировой финансовый кризис 2008 года затронул многие финансовые организации. Многие правительства стали спасать банки, но не смогли предотвратить падение фондовых рынков. Последние начали восстанавливаться в 2009 году, но последствия кризиса ощущаются до сих пор. Этот кризис стал худшим с 30-х годов XX века.

Субстандартными называют таких заемщиков, которые, вероятно, не смогут выплатить кредит в срок и потому представляют собой риск. Вследствие этого займы им выдаются под более высокий процент и на менее выгодных условиях.

B

A Джордан Белфорт (справа) на собственном катере в Карибском море в 90-е годы. Этот биржевой брокер, заработавший себе дурную славу «волка с Уолл-стрит», нажил миллионы, обманывая своих клиентов. Его жизнь послужила основой для сценария фильма, снятого Мартином Скорсезе в 2013 году.

B Толпа людей на Уолл-стрит в Нью-Йорке после краха фондового рынка в 1929 году, который послужил толчком к Великой депрессии, продлившейся 12 лет.

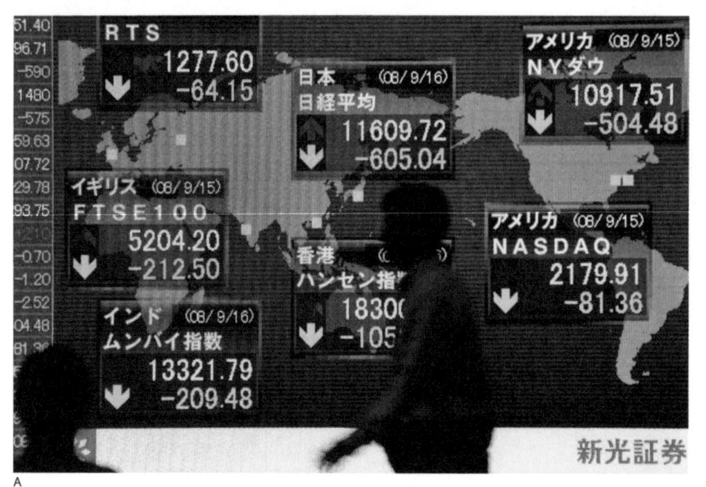

A

A Эта таблица отражает масштабный обвал на мировых финансовых рынках после того, как стало известно о банкротстве Lehman Brothers в сентябре 2008 года. Это крупнейшая американская компания, объявившая себя банкротом.

B В 2008 году в США многие собственники лишились жилья из-за долгов. В ходе кризиса миллионы людей оказались не способны выплачивать кредиты и были вынуждены продавать недвижимость по бросовым ценам.

Без ведома заемщиков более 80 % этих высокорискованных ипотечных кредитов упаковывались в высоколиквидные активы, или обеспеченные долговые облигации (CDO). CDO — это комбинации рискованных и надежных долговых обязательств. Они настолько сложны (документация многих из них составляет 30 тысяч страниц), что контролировать их невозможно. Рейтинговые агентства считали CDO очень надежными и присваивали им наивысший рейтинг — AAA. По всему миру инвесторы охотно покупали такие облигации, не понимая, сколько высокорискованных займов они содержат. От риска неплатежей инвесторы защищали себя, приобретая кредитные дефолтные свопы (CDS) — страховые компании верили, что им никогда не придется их выплачивать.

Почти все были убеждены в прочности американского рынка жилья и в надежности CDO. Однако чрезмерная вера в недвижимость привела к серьезному дисбалансу в экономике — ВВП на три четверти зависел от недвижимости. Прельстившись низкими процентными ставками, многие американские домовладельцы брали кредиты под залог жилья. Накануне краха общая стоимость таких займов достигала 975 миллиардов долларов (7 % ВВП), что еще больше усиливало долговую нагрузку на систему.

Когда стоимость недвижимости в США начала падать и стало ясно, что долги не будут выплачены, финансовая система погрузилась в хаос. В 2009 году у 15 миллионов американских домохозяйств были ипотечные кредиты, превышавшие стоимость самого жилья. Вся система CDO оказалась замком из песка — выяснилось, что они ничего не стоили. Последовала паника, которая привела к банкротству двух крупнейших инвестиционных банков — Bear Stearns и Lehman Brothers.

Рейтинговые агентства оценивают способность компании или государства выплачивать долги. Рейтинги, которые они присваивают ценным бумагам, помогают определить процентную ставку — чем ниже рейтинг, тем выше процент. Инвесторы опираются на их оценку, когда принимают решение о приобретении ценных бумаг. В этой сфере господствует «большая тройка» — Standard and Poor's, Moody's и Fitch Group, на которую приходится 95 % рынка.

Кредитные дефолтные свопы представляют собой договоры страхования от риска невыплаты заемщиками своих долгов. В случае дефолта кредитор получит свои деньги, а долг перейдет в собственность страховщика. Как правило, CDS приобретаются кредитором, но их может купить кто угодно. Финансовые институты могут приобрести страховку на займы, выданные другими организациями, — в этом случае речь идет о «голых CDS».

Финансовый кризис охватил весь мир. В 2008 году произошло рекордное падение стоимости акций — от Нью-Йорка (34 %) и Парижа (43 %) до Шанхая (65 %). По данным МВФ, с 2007 по 2010 год финансовые институты избавились от американских активов на сумму 2,7 триллиона долларов. Кроме того, было подорвано доверие к экономике, а значит, никто не хотел одалживать деньги, чтобы стимулировать рост. По всему миру было уничтожено 240 миллионов рабочих мест. Миллионы людей лишились недвижимости или сбережений (британские вкладчики потеряли из-за кризиса 5 миллиардов фунтов стерлингов). В Японии, США и Великобритании реальные доходы остаются на докризисном уровне. Однако богатым удалось защититься от последствий кризиса.

В

Подавляющее большинство финансовых институтов сочло события 2008 года «черным лебедем». В действительности кризис стал неизбежным результатом развития финансового сектора. Современные финансовые практики увеличили и вероятность наступления катастрофы, и масштабы ущерба.

Финансовые кризисы — неотъемлемая черта капитализма с самого начала его существования, как показывают тюльпанная лихорадка 1637 года или крах Компании южных морей в 1719–1720 годах. Государствам и банкам стоит об этом помнить.

С 1970 по 2007 год произошло 124 системных банковских кризиса в 101 стране, а 19 стран пережили более одного кризиса. В некоторых случаях такие кризисы стали эндемическими (в Аргентине, например, их было четыре). Так что же произошло в 2008 году? Кризис продемонстрировал безрассудство банковской индустрии. Начавшиеся в 80-е годы XX века неолиберальные реформы дерегулировали ее, что позволило банкам использовать всё более рискованные способы для получения прибыли. В США этот процесс носил по-настоящему революционный характер.

A

A «Сатира на тюльпанную лихорадку» (около 1640) Яна Брейгеля Младшего высмеивает спекуляцию на редких луковицах, изображая покупателей и продавцов в виде безмозглых обезьян, облаченных в человеческие одежды.

B Аргентинская экономика переживала кризис с 1998 по 2002 год. В декабре 2001 года по стране прошла волна беспорядков и протестов против неспособности правительства справиться с финансовым кризисом.

в

До 70-х годов XX века банковское дело в США строго регулировалось. Самым важным элементом в этой сфере был акт Гласса—Стиголла 1933 года, разграничивавший деятельность коммерческих и инвестиционных банков. Первые могли работать только со вкладами, вторые занимались исключительно размещением ценных бумаг. Это защищало интересы вкладчиков, поскольку коммерческие банки не могли подвергать риску их деньги, инвестируя их в ценные бумаги. Закон Грэмма—Лича—Блайли 1999 года устранил это ограничение, разрешив банкам разного типа (и страховым посредникам) объединяться в финансовые холдинги. Это привело к валу слияний и поглощений инвестиционных банков коммерческими. Например, в 2000 году произошло слияние Chase Manhattan и JP Morgan, а Morgan Stanley и Goldman Sachs, прежде занимавшиеся инвестициями, стали также выполнять функции коммерческих банков. Никакого надзора над ними не велось.

Тюльпанная лихорадка. Тюльпаны попали в Европу из Азии в конце XVI века и стали особенно популярны в Голландии. Цены на них быстро росли, а торговля фьючерсами (договорами, дававшими владельцам право покупать луковицы тюльпанов по фиксированной цене в определенный день в будущем) шла так активно, что некоторые из них переходили из рук в руки по десять раз в течение одного дня. Пузырь лопнул в феврале 1637 года, когда спрос внезапно рухнул.

Крах Компании южных морей. Компания Южных морей, основанная в Лондоне в 1711 году, получила монополию на торговлю с Южной Америкой. Однако она не могла вести дела с этим континентом, над которым владычествовала Испания. В январе 1720 года директора компании, стремясь поднять цену акций, пустили слух, что ее прибыли растут. Это вызвало ажиотажный спрос. Несмотря на неважные экономические показатели компании, за шесть месяцев стоимость одной акции увеличилась со 128 до 1050 фунтов. Когда стало очевидно, что такой рост ничем не оправдан, все бросились продавать акции, в результате чего к сентябрю их стоимость рухнула до 175 фунтов. Даже великий ученый сэр Исаак Ньютон не смог устоять перед соблазном быстрой наживы и, когда пузырь лопнул, потерял 20 тысяч фунтов (3 миллиона фунтов в сегодняшних ценах).

«Черный лебедь» — событие, которое в статистических моделях рассматривается как находящееся за пределами ожидаемой вероятности. Термин возник из убеждения, что черных лебедей не существует, бытовавшего на Западе до тех пор, пока они не были обнаружены в Австралии. Автор термина — Нассим Николас Талеб (род. 1960), американский профессор ливанского происхождения, специалист по финансам и бывший биржевой трейдер.

A

Для банкиров главной стала прибыль, а не безопасность инвестиций; это привело к тяжелым последствиям.

Самым ярким примером опасности дерегулирования служит опыт Исландии (334 тысячи жителей). В 2001 году финансовый сектор здесь был либерализован. Исландские банки начали активную экспансию на мировых рынках, предлагая вкладчикам (прежде всего голландским и британским) высокие проценты. Их иностранные долги достигли 112 миллиардов долларов, что в 7 раз превышало ВВП Исландии. С началом кризиса 2008 года доверие к исландским банкам улетучилось. Три крупнейших (Glitnir, Kaupthing и Landsbanki) перешли под внешнее управление. Их крах погрузил Исландию в хаос: фондовая биржа рухнула на 90 %, а безработица выросла втрое. В результате Исландия стала первой за 30 лет развитой страной, попросившей кредит у МВФ. Экономический рост возобновился лишь в 2011 году.

Использование термина **«акционерная стоимость»** подразумевает, что успешность компании лучше оценивать по ее биржевым показателям, таким как стоимость акций и выплачиваемые акционерам дивиденды.

A Эволюция торговой площадки Нью-Йоркской фондовой биржи (сверху вниз): 40-е годы и 70-е годы XX века, 2011 год. Торговля всё больше автоматизировалась, благодаря чему появилась возможность совершать сделки почти мгновенно.

B Демонстранты сжигают чучело премьер-министра Исландии Гейра Хаарде в ходе протестов против методов борьбы с финансовым кризисом, прошедших в Рейкьявике в 2009 году. Вскоре после этого он ушел в отставку.

Недальновидность — характерная черта современного банковского дела. Большинство финансовых институтов — публичные компании, подотчетные скорее акционерам, чем вкладчикам. Стремясь увеличить акционерную стоимость, банки предпринимают действия, подрывающие их стабильность в долгосрочном плане. Система бонусов подталкивает сотрудников банков идти на больший риск, чтобы увеличить свои ежегодные премии. Но рискованные операции могут обернуться для банков крупными потерями.

в

A

A В условиях почти полного перехода финансовых рынков на электронную торговлю ошибка при нажатии клавиши на клавиатуре чревата самыми тяжелыми последствиями. На пересмотр ошибочных сделок остается так мало времени, что их почти невозможно отменить.

B Цены акций на табло Токийской фондовой биржи 1 августа 2014 года. Утром биржевые индексы были на 0,7 % ниже, чем днем ранее, из-за сброса ценных бумаг на Уолл-стрит, вызванного слабыми данными по еврозоне, дефолтом Аргентины и другими плохими новостями.

Самые большие торговые убытки в истории были зафиксированы в 2007–2008 годах, когда из-за действий торговца облигациями Хоуи Хаблера Morgan Stanley потерял 9 миллиардов долларов на инвестициях в CDO и CDS. Банкирам свойственно излишне рисковать, потому что от этого зависит размер их бонусов. Технологии упростили торговлю ценными бумагами, но в то же время сделали банковское дело более рискованным. Ошибки ввода, случающиеся, когда трейдер нажимает не ту кнопку при совершении сделки, стали обычным делом.

В 2001 году трейдер Lehman Brothers дал в 100 раз больше приказов на продажу, чем собирался, обрушив капитализацию FTSE на 30 миллиардов фунтов. В том же году в Токио трейдер UBS продал за 16 йен 610 тысяч акций стоимостью 420 тысяч йен. В условиях компьютеризации такие приказы на продажу очень трудно отменить. В последние годы банки шли по пути автоматизации этих операций, всё больше полагаясь на высокочастотный трейдинг, которому присущи так называемые мгновенные обвалы — быстрые краткосрочные падения стоимости ценных бумаг, ведущие к миллиардным убыткам. Например, 6 мая 2010 года американские рынки просели на 5 % всего за 20 минут.

FTSE (Financial Times Stock Exchange). Индекс Британской фондовой биржи измеряет стоимость ста крупнейших компаний, представленных на Лондонской фондовой бирже, через их рыночную капитализацию (по стоимости их акций). Начал рассчитываться в 1984 году с 1000 пунктов. 17 мая 2017 года достиг отметки в 7460 пунктов.

Высокочастотный трейдинг использует алгоритмы и другие методы для быстрой купли-продажи ценных бумаг, стремясь извлечь мгновенную выгоду из меняющихся условий. Такая экономия времени настолько ценна, что в 2010 году Spread Networks сообщила о прокладке нового кабеля от Чикаго до Нью-Йорка стоимостью в 300 миллионов долларов, который позволял экономить 3 миллисекунды.

в

После 2008 года большинство правительств не стало наказывать банки и навязывать им радикальные реформы. Банки получили помощь, а их долги были либо списаны, либо выкуплены государством. В рамках Программы по спасению проблемных активов, принятой в 2010 году, США выделили 700 миллиардов долларов на стабилизацию банков. Великобритания направила на скупку акций банков 50 миллиардов фунтов. Banca Monte dei Paschi di Siena, старейший банк в мире, основанный в 1472 году, понес серьезные убытки из-за инвестиций в рискованные финансовые продукты, вследствие чего в 2016 году правительству Италии пришлось потратить более 4 миллиардов евро на его спасение.

A Постер «Надежда» Шепарда Фейри (2008) был адаптирован в 2011 году для движения «Оккупай», которое протестовало против неравенства в мире.
B Постер «Бунтуй» был создан Натаном Мандрезой для протестов 2011 года под лозунгом «Захвати Уолл-стрит», принесших движению мировое признание.
C На «Башне Монополии» Лало Алькараза начертан лозунг «Нас — 99 %», который обращает внимание на огромное неравенство в статусе и доходах, когда власть и богатство находятся в руках у одного процента населения.
D «Захвати Уолл-стрит» (шелкография на бумаге) Жан Верду (2011). Движение быстро охватило финансовые кварталы городов по всему миру.

A

B

Банкиры легко идут на риск, потому что знают, что их спасут, а вероятность серьезного наказания невелика. За действия, которые привели к кризису 2008 года, в тюрьме оказался лишь один банкир: в 2013 году Карим Серагельдин из Credit Suisse был приговорен к 30 месяцам заключения по обвинению в махинациях. Штрафы, которые обычно не облагаются налогами, были наложены на корпорации, а не отдельных банкиров.

Эммануэль Макрон (род. 1977) – французский политик, был министром экономики, промышленности и цифровой экономики с 2014 по 2016 год. Покинув ряды Социалистической партии, он основал новую центристскую партию под названием «Вперед!» и в 2017 году был избран президентом Франции. В первом туре Макрон получил 24 % голосов, а во втором взял верх над Марин Ле Пен, представлявшей ультраправый Национальный фронт.

Джон Кей (род. 1961) из правоцентристской Национальной партии был премьер-министром Новой Зеландии с 2008 по 2016 год.

Проблема отчасти обусловлена тем, что крупные банки тесно связаны с правительственными кругами и агрессивно добиваются от властей поблажек. В США в ходе последнего избирательного цикла (2015–2016 годы) на лоббирование было потрачено 2,8 миллиарда долларов. Поэтому неудивительно, что многие политики, покидая свои посты, занимают доходные должности в финансовых организациях. В 2017 году Джордж Осборн, бывший канцлер казначейства Великобритании, стал «консультантом» BlackRock, крупнейшей инвестиционной компании в мире, которая управляет средствами на сумму более 4 триллионов фунтов. Бывшие банкиры, в свою очередь, часто занимают политические должности: президент Франции Эммануэль Макрон был инвестиционным банкиром во французском отделении Rothschild Group, а бывший премьер-министр Новой Зеландии Джон Кей в течение шести лет возглавлял отдел валютного рынка в Merrill Lynch.

C

D

Уроки прошедшего мирового кризиса остались невыученными. Банки и сегодня выдают займы рекордными темпами — за период с 2008 года их объем превысил 60 триллионов долларов. Мировой долг втрое превышает мировой ВВП. Мир до сих пор пытается оправиться от 2008 года, но семена нового кризиса уже посеяны.

Тем временем виновники минувшего кризиса чувствуют себя в полной безопасности — правительства перенесли издержки на плечи общества, прибегнув к мерам бюджетной экономии. Капитализм — конкурентная система, в которой всегда есть победители (богатые) и проигравшие (бедные).

A 21 июня 2017 года в Лондоне прошли протесты против мер, предпринятых властями при пожаре в здании Grenfell Tower, унесшем жизни 71 человека.

B Хотя Grenfell Tower располагается в одном из самых богатых районов Лондона, в здании было много муниципальных квартир. Трагедия стала символом того ущерба, который рабочий класс понес от бюджетной экономии.

в

Его сторонники утверждают, что в нем возможна вертикальная мобильность и что неравенство заставляет людей работать больше, чтобы разбогатеть.

Неолиберальные реформы, начавшиеся в 80-е годы, привели к росту неравенства в доходах в большинстве стран. Капитализм не только не принес благосостояние всем, но и усугубил разделение общества на бедных и богатых. В 1965 году глава американской корпорации зарабатывал в 24 раза больше промышленного рабочего. Сегодня эта разница достигла 200 раз.

Государство прибегает к **бюджетной экономии**, когда хочет быстро сократить дефицит, уравновесив доходы и расходы. Для этого оно урезает свои расходы, увеличивает налоги или делает и то и другое. В 2008 году такие меры были применены во многих европейских странах.

Томас Пикетти (род. 1971) — профессор парижской Высшей школы социальных наук, где он исследует проблемы имущественного неравенства. Он полагает, что с течением времени неравенство неуклонно увеличивается, потому что темпы экономического роста в развитых странах оказываются ниже доходности вложенного капитала.

В книге «Капитал в XXI веке», вышедшей в 2013 году, французский экономист Томас Пикетти утверждал, что экономическое неравенство растет и воспрепятствовать этому может лишь принудительное перераспределение доходов государством. Даже в развивающихся странах вроде Индии, Китая и Южной Африки всё больше доходов приходится на долю самых богатых.

Лица, состояние которых превышает 1 миллион долларов, составляют 0,334 % населения мира, но на них приходится 33,2 % мирового богатства.

Финансовое неравенство сегодня сравнимо с уровнем XIX века. В США на долю 0,1 % самых богатых приходится столько же имущества, сколько на 90 % самых бедных — эту тенденцию можно проследить и в других странах Запада. Разумеется, обладая таким благосостоянием, устоявшиеся элиты легко пережили кризис 2008 года.

Плодов экономического роста оказалась лишена прежде всего молодежь — впервые в истории она, возможно, не достигнет уровня благосостояния своих родителей.

A

B

C

В последние годы в Европе резко выросла безработица среди молодежи. Экономическая интеграция не смогла решить эту проблему, поскольку страны, входящие в зону евро, не могут девальвировать свои валюты для наращивания экспорта. Как следствие, в 2017 году в Греции и Испании безработица среди молодежи составляла 48 % и 40,5 % соответственно. Во Франции около четверти лиц моложе 25 лет, ищущих работу, не могут ее найти. Это способствовало росту популярности крайне правых партий вроде Национального фронта, за кандидата которого проголосовали 21,3 % избирателей в первом туре президентских выборов 2017 года во Франции и треть избирателей во втором.

A Сатира на канцлера Германии Ангелу Меркель на обложке французского журнала *Marianne* (июль 2015). Ее критиковали за жесткость, проявленную при решении кризиса суверенного долга Греции.

B В марте 2015 года немецкий журнал *Spiegel* изобразил Меркель в окружении офицеров Вермахта в Греции под заголовком: «Какими европейцы видят немцев — германское превосходство».

C На этом граффити на стенах Банка Греции в Афинах написано «Здесь — воры». 20 мая 2010 года 25 тысяч человек вышли на улицы Афин, протестуя против урезания государственных расходов ради борьбы с огромным долгом.

Исследование немецких экономистов Маркуса Брюкнера (род. 1983) и Ханса Петера Грюнера (род. 1966) показало, что в странах с высоким уровнем неравенства падение темпов роста ведет к увеличению популярности крайне правых или националистических партий — будущее рисуется людям в мрачных красках, и они ищут радикальных решений.

Получая огромные доходы, элита содержит команды юристов и бухгалтеров, которые помогают ей уклоняться от налогообложения. Опираясь на свое богатство, она добивается от правительств выгодных для себя мер вроде снижения налогов для богатых. В 2010 году Верховный суд США постановил, что пожертвования на избирательные кампании являются формой свободы слова и потому охраняются Конституцией (Объединенные граждане против Федеральной избирательной комиссии). Канадская писательница Наоми Кляйн утверждает, что в последние сорок лет корпорации использовали кризисы (вроде вторжения в Ирак в 2003 году), чтобы навязывать обществу меры, выгодные для элиты, и оправдывать расшатывание гражданских свобод и нарушения прав человека.

Сокращение налогов и креативная бухгалтерия позволяют богатым больше зарабатывать и накапливать.

Наоми Кляйн (род. 1970) – канадская писательница, один из наиболее последовательных критиков глобализации и капитализма.

A Яхта Eclipse российского олигарха Романа Абрамовича стоимостью около 500 миллионов долларов располагает двумя вертолетными площадками, двумя бассейнами и системой обнаружения ракет.

B Протест против Uber в Париже в 2016 году. По мнению критиков, фирма не заботится о безопасности и о конфиденциальности клиентов, нарушает лицензионное законодательство и уклоняется от налогов.

C Большинство курьеров Deliveroo, онлайн-сервиса доставки еды, созданного в 2013 году, самозаняты. Они — часть растущей «гигономики», в которой занятость носит краткосрочный характер.

A

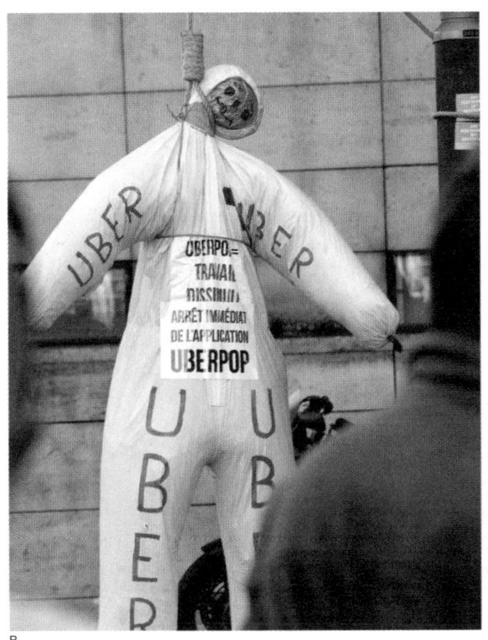

B

C

Это богатство не «стекает» беднейшим слоям населения, чьи зарплаты не могут сравниться с теми средствами, которыми распоряжаются богачи. Напротив, оно сосредоточено в руках наиболее привилегированной прослойки общества.

Свободная рыночная экономика увеличивает прибыль и производительность за счет «созидательного разрушения». Старые технологии и отрасли уничтожаются невзирая на то, как это сказывается на обычных людях. Автоматизация может лишить работы миллионы трудящихся. Согласно одному исследованию 2013 года, 47 % работников в США подвержены риску автоматизации (что чревато безработицей). Опасность состоит в том, что многих из них ждут низкооплачиваемые должности с неполным рабочим днем в сфере услуг, которые не приносят ни удовлетворения, ни уверенности в завтрашнем дне. Кроме того, в условиях глобализации международные корпорации будут и впредь переносить операции туда, где ниже зарплаты и издержки.

A

Выгодно это будет одной лишь элите. На Западе в городах и областях, где некогда велась добыча угля, строились корабли и работали текстильные фабрики, многие производства закрылись. Неолиберальная волна привела к приватизации многих отраслей, которая, как правило, необратима и оборачивается ростом цен и увольнениями. Корпорации, которые прежде несли ответственность перед людьми, ныне подотчетны акционерам и руководствуются соображениями прибыли. Профсоюзы, которые раньше выражали мнение рабочих, теперь находятся в изоляции. Например, в США в профсоюзах состоит лишь 11 % рабочих. В Великобритании численность профсоюзов, достигшая пика в 13 миллионов членов в 1979 году, к сегодняшнему дню сократилась наполовину — до 6,2 миллиона в 2016 году. Та же тенденция наблюдается в Германии и во Франции, некогда бывших цитаделями профсоюзного движения. Сильные профсоюзы помогают внедрению норм, выгодных для рабочих.

Рабочая солидарность помогает преодолевать неравенство в обществе. Так, в США чернокожие рабочие, состоящие в профсоюзах, зарабатывают на треть больше тех, кто в них не вступил.

В

А/В Чучела премьер-министра Великобритании Терезы Мэй и президента США Дональда Трампа со статуей Свободы были показаны на шествии в Розовый понедельник, прошедшем 27 февраля 2017 года в Дюссельдорфе, Германия. Брексит и избрание Трампа послужили богатой пищей для политической сатиры, направленной против нарастающей волны националистического популизма.

В условиях, когда уничтожаются традиционные профессии и гарантии занятости, не приходится удивляться тому, что многие чувствуют себя на обочине такого «прогресса». В 2016 году Дональд Трамп был избран президентом США, а Великобритания проголосовала за выход из ЕС. Оба события отражают отторжение той неравноправной капиталистической системы, которая сложилась в XXI веке.

Национальный суверенитет размывается в угоду прибыли.

Подобно тому как капитализм создал неравенство в отдельных странах, он усилил его и в мировом масштабе. Неолиберальная модель, продвигаемая такими институтами, как МВФ, подталкивает страны к дерегулированию и свободной торговле в первую очередь за счет снижения импортных тарифов. Такие меры прописываются в соглашениях о выделении займов.

Однако в развивающихся странах, которые пошли по пути либерализации в 80–90-е годы XX века, экономический рост значительно снизился по сравнению с 60–70-ми годами, когда они придерживались протекционистской политики. Поток товаров, хлынувший из развитых государств, подорвал местное производство, лишив эти страны шанса на устойчивый экономический рост. Неудивительно, что обогатились на этом более развитые страны, располагающие большим влиянием в МВФ.

A

Ха Джун Чхан (род. 1963) работает в Кембриджском университете. Он постоянно оспаривает устоявшиеся представления об экономике. Многие его мысли высказаны в книге «23 факта о капитализме, о которых вам не рассказывают» (2010).

A Кампания Cordaid, крупной организации содействия международному развитию, обличает огромное имущественное неравенство в мире, показывая, что деньги, которые на Западе тратят на роскошь, могут быть направлены на приобретение предметов первой необходимости.

B В октябре 2009 года правительство Мальдивских островов провело заседание под водой, чтобы привлечь внимание к проблеме глобального потепления, угрожающей существованию страны. Мальдивы находятся на уровне моря и могут исчезнуть, если не будут предприняты меры по борьбе с изменением климата.

B

Запад должен признать, что свободный рынок не обогащает бедные страны.

Южнокорейский экономист Ха Джун Чхан доказал, что все крупные развитые страны придерживались протекционизма, когда развивали свой экономический потенциал, — так было и в Великобритании с 1720-х по 1850-е годы, и в США с 1830-х по 1940-е годы. Сторонники глобализации могут сказать, что доходы на душу населения в развивающемся мире росли на 2,6 % с 1980 по 2009 год. Однако, если исключить из этого показателя Индию и Китай (которые не полностью перешли к неолиберальному капитализму), картина уже не выглядит так радужно. Латинская Америка росла на 1,1 % в год, а Тропическая Африка — всего на 0,2 %.

A

С 1960 по 2016 год неравенство между богатыми и бедными странами выросло почти втрое. Капитализм не обогатил все регионы мира в равной степени — разрыв между развитым и развивающимся миром не сократился, а, напротив, продолжает расти.

Худшие последствия капитализма человечеству еще только предстоит увидеть. Земля нагревается. Это ведет к повышению уровня океанов и вызывает наводнения, из-за которых прибрежные зоны оказываются в опасности, а такие государства, как Мальдивы или Тувалу, могут вообще уйти под воду. Непосредственной причиной потепления является углекислый газ, высвобождающийся при сжигании ископаемого топлива, — с начала промышленной революции его уровень в атмосфере значительно вырос. С 2000 года темпы выброса углекислого газа снизились — если в 2000-е годы они увеличивались на 3,5 % в год, то в последние три года сократились до 0,3 % в год.

По данным Всемирной метеорологической организации, период с 2011 по 2015 год был самым теплым за всю историю наблюдений. К 2050 году температура может вырасти на 2,0–3,6 °C по сравнению с уровнем до 1800 года. Хотя долгосрочные отрицательные последствия использования нефти, газа и угля хорошо известны, крупный бизнес по-прежнему зависит от них. Во многих странах энергетические компании настолько могущественны, что государства оказываются перед ними бессильны. Обладая огромным политическим влиянием, компании ТЭК ежегодно получают около 1 триллиона фунтов в виде субсидий. Еще хуже то, что уничтожаются леса, обеспечивающие нас кислородом, — в основном для создания пастбищ для скота. По данным Всемирного фонда дикой природы, площадь лесов, уничтожаемых каждую минуту, равняется 48 футбольным полям.

Капиталистическая система, зацикленная на краткосрочной прибыли, ставит под угрозу будущее нашей планеты.

A Аэроснимок, сделанный 6 июля 2010 года, показывает лицензионные территории в Капуас-Хулу, провинция Западный Калимантан, принадлежащие Sinar Mas, крупнейшему производителю пальмового масла в Индонезии. Гринпис обвинил компанию в том, что она свела миллионы гектаров дождевых лесов, уничтожив многие вымирающие виды животных.

B Цена прогресса? У урбанизации и индустриализации в Китае есть свои экологические издержки. На фотографии — густой смог в Олимпийском парке в Пекине 1 декабря 2015 года.

B

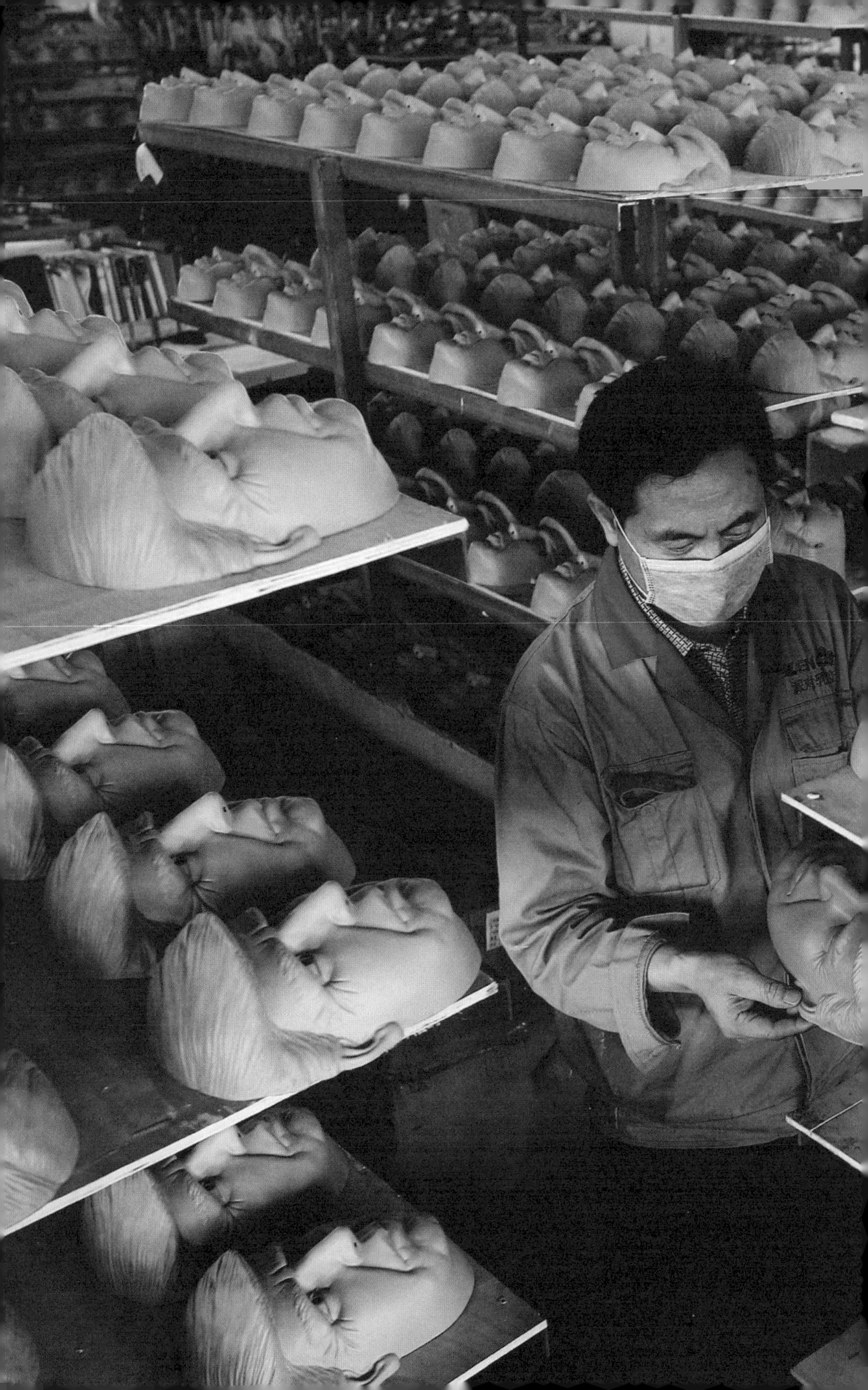

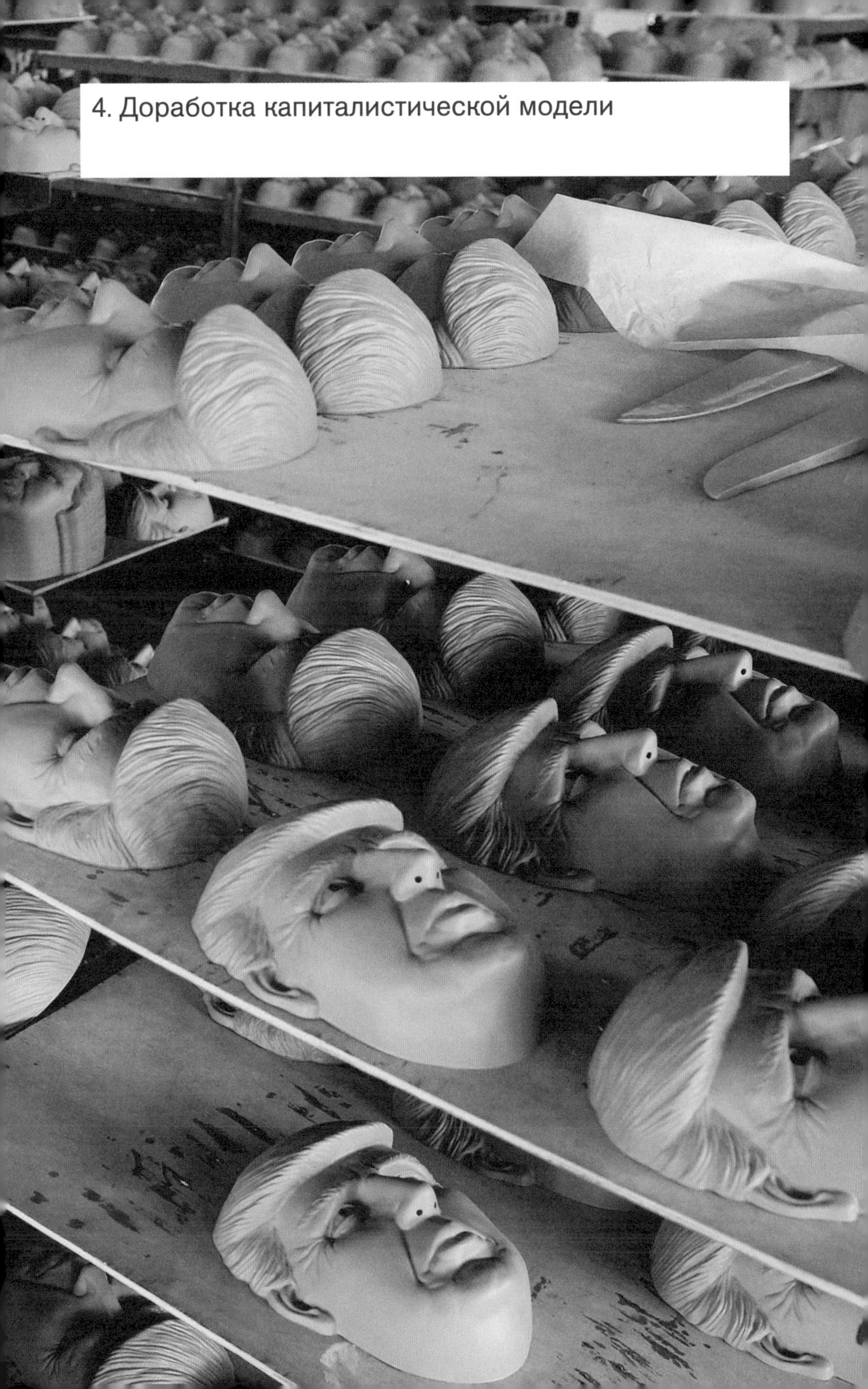

4. Доработка капиталистической модели

А

Капитализм создал массу социальных, экономических, политических и экологических проблем, поэтому его доработка станет главной задачей XXI века.

Существуют разумные альтернативы традиционным моделям капитализма. Сторонники неолиберализма утверждают, что государство не должно мешать свободному рынку, но ошеломляющие перемены, которые пережил Китай в последние десятилетия, показывают, что государственное управление экономикой не препятствует росту.

Дэн Сяопин (1904–1997) возглавил Китай в 1978 году, отстранив от власти Хуа Гофена (1921–2008), которого Мао Цзэдун (1893–1976), вождь коммунистической революции в Китае, избрал своим преемником. Дэн создал новую идеологию под названием «социализм с китайской спецификой», в рамках которой социализм сочетается с рыночным капитализмом. В 1989 году Дэн применил силу для подавления антиправительственных выступлений студентов на площади Тяньаньмэнь. В том же году он ушел с некоторых постов, а в 1992 году окончательно покинул политику. Дзян Цзэминь (род. 1926), преемник Дэна, продолжил его линию.

При этом плановая экономика в Китае не настолько централизована, как в Советском Союзе. Дэн Сяопин приспособил коммунизм к местным условиям. Его принцип «одна страна, две системы» допускает существование капиталистических анклавов Гонконга и Макао в рамках социалистического государства.

Конституция КНР 1982 года разрешила частное предпринимательство и зарубежные инвестиции и либерализовала торговлю. Правительство не пыталось напрямую контролировать каждый аспект экономики, однако по сравнению с другими странами сохраняло над ней значительный контроль. Государство определяло цели и занималось регулированием, стремясь обеспечить устойчивый рост. Крупные предприятия во всех отраслях, от добычи угля до банковского дела и авиаперевозок, по-прежнему принадлежат государству и действуют в национальных интересах. В списке журнала *Fortune* за 2016 год три из пяти крупнейших корпораций были китайскими и находились в государственной собственности (Государственная электросетевая корпорация Китая, Китайская национальная нефтегазовая корпорация и Китайская нефтяная и химическая корпорация Sinopec). Их совокупный доход составлял 923,2 миллиарда долларов.

В последние 30 лет экономика Китая росла более чем на 10 % в год, показывая, что развитие страны можно обеспечить не только путем слепого копирования традиционной модели капитализма.

B

C

A Китай в 1983 году. Плакат постмаоистской эпохи обещает стране светлое будущее с цветущим потребительским рынком и семьями с одним ребенком.

B «Создавайте новое положение в социалистическом строительстве». Китайский пропагандистский плакат 80-х годов.

C «С радостью отмечайте возвращение Гонконга» (1997). Мальчик держит в руках флаг, который стал использоваться после передачи Гонконга Китаю.

A

Альтернативой может стать «экономическая демократия», которая стремится сохранить лучшие черты капитализма, устранив его недостатки. Ключевой элемент в ней — расширение демократии на рабочем месте. В такой системе управление подотчетно не акционерам, а работникам, которые получают свою долю в прибыли. При руководстве, избираемом рабочими, не возникает риска отставания эффективного спроса, поскольку любое улучшение производительности отражается на вознаграждении трудящихся.

Дэвид Швейкарт — один из главных идеологов экономической демократии, также предлагает ввести единую ставку налога на любую собственность, приносящую доход (например, на фабрики). Такой пропорционально собираемый налог будет вновь инвестироваться в экономику, демократизируя ее.

A В 1987 году население Шанхая составляло около 11 миллионов человек. Хотя город был главным экономическим центром Китая, он еще не стал мировым финансовым центром.

B В 1993 году китайское правительство открыло Шанхай для зарубежных инвестиций. Население выросло до 23 миллионов, а новые небоскребы стали символом растущей экономической мощи Китая.

в

Одной из главных причин кризиса 2008 года стала неготовность финансового сектора вести себя ответственно. Капиталистическую систему невозможно изменить, не реформируя сферу финансов. Экономист Джозеф Стиглиц выделяет две основные функции банков: во-первых, они обеспечивают эффективные средства платежа; во-вторых, оценивают риски и выдают кредиты. Банки играют важнейшую роль в экономике, поэтому государства готовы их спасать. Если банковская сфера рухнет, то счета перестанут оплачиваться, инвестиции пропадут, а кредитов никто выдавать не будет. Короче говоря, наступит всеобщий паралич. До 2008 года многие банки не выполняли эти ключевые функции, сосредоточившись на спекулятивных операциях.

Эффективный спрос — объем товаров и услуг, который потребители хотят и могут приобрести (исходя из своих доходов). Если производительность растет быстрее, чем реальные доходы, эффективный спрос падает.

Дэвид Швейкарт (род. 1942) — американский философ и математик, один из крупнейших идеологов экономической демократии.

Джозеф Стиглиц (род. 1943) — американский экономист, работающий в Колумбийском университете. С 1995 по 1997 год возглавлял совет экономических консультантов при президенте США, а с 1997 по 2000 год был главным экономистом Всемирного банка. Стиглиц — один из наиболее влиятельных и обстоятельных критиков неолиберальной экономики и глобализации.

Крах системообразующих финансовых институтов (СФИ) может привести к самым серьезным последствиям. По данным Совета по финансовой стабильности, международной организации, следящей за состоянием мировых финансов, в 2016 году насчитывалось 30 СФИ. Крупнейшие из них — Citigroup и JP Morgan Chase. Крах СФИ нанес бы серьезный экономический ущерб в мировом масштабе. Но их вес также создает опасность морального риска для их сотрудников и инвесторов, которые могут пускаться в рискованные операции, будучи уверенными в том, что у них есть «подушка безопасности» (то есть что государство их спасет). Иными словами, СФИ стали настолько большими, что могут представлять опасность для экономики. В долгосрочном плане правильным решением могло бы стать их разделение на более мелкие организации, хотя, учитывая их силу и влияние, это маловероятно.

После 2008 года государства пытаются регулировать банковскую сферу. В США закон Додда–Франка 2010 года ввел новые требования: например, теперь банки должны убедиться в том, что заемщик достаточно платежеспособен для выплаты ипотечного кредита. Важная составляющая закона — правило Волкера, ограничивающее возможности банков совершать спекулятивные инвестиции, которые могут представлять риск для средств вкладчиков. В Великобритании в 2011 году комиссия Виккерса предложила разграничить ключевые услуги банков (например, работу с вкладами) и рискованные операции (например, торговлю ценными бумагами) и обязать банки располагать достаточными резервами капитала на случай кризиса (эти условия они должны выполнить до 2019 года). В ЕС подобные нормы предлагались в отчете де Ларозьера 2009 года и в отчете Лииканена 2012 года.

A

В условиях растущей взаимосвязанности экономики и наличия у крупных банков десятков дочерних структур реформа должна носить международный характер. Соглашение Базель III было опубликовано в 2011 году, но под давлением со стороны банков его применение было отложено до 2019 года. Оно устанавливает минимальный уровень собственного капитала, ограничивает финансовый рычаг и увеличивает прозрачность банков: это сделает их более устойчивыми к потрясениям. Соглашение много критиковали. По мнению одних, оно слишком жесткое и ограничит рост; другие полагают, что оно слишком мягкое и не поможет избежать нового кризиса.

A Крах 1929 года на Уолл-стрит стал провозвестником последующих кризисов XX столетия. Фотография Уолкера Эванса (около 1928–1930) – беспристрастное свидетельство тех суровых времен.

B Банкротство инвестиционного банка Lehman Brothers 15 сентября 2008 года ознаменовало начало мирового финансового кризиса. Его причинами стали коррупция, воровство и безрассудная вера в высокорискованные ценные бумаги.

Соглашение Базель. Базельский комитет по банковскому надзору был основан в 1974 году и располагается в Швейцарии. Преследует цель улучшения надзора в банковской сфере. В эту международную организацию входят 45 членов из 28 юрисдикций. Периодически публикует соглашения, устанавливающие банковские правила и нормы. Первое вышло в 1988 году, второе – в 2004-м.

Финансовый рычаг – использование заемных средств для приобретения активов.

B

A

Еще полвека назад банковское дело считалось консервативным. Теперь оно превратилось в одну из самых прибыльных и динамично развивающихся отраслей в мире и привлекает множество талантливых и честолюбивых людей.

Банки принимают на работу квантов с дипломами по физике, математике и инженерному делу. А значит, немалая часть накопленного человеческого капитала способствует не разработке инноваций, которые повысят производительность труда, а увеличению доходов акционеров. У талантливых квантов практически нет шансов создать внешние эффекты, которые будут полезны обществу. Помочь исправить эту ситуацию может ограничение зарплат и бонусов, выплачиваемых банкирам, но маловероятно, что такие реформы будут проведены. Например, в 2016 году Великобритания, Франция, Ирландия и другие страны отказались исполнять нормы ЕС, ограничивающие бонусы банкиров размером их зарплаты.

A В начале XX века работа в банке казалась монотонной, но затем финансовый сектор стал считаться гламурным и престижным.

B Трейдеры и служащие CME Group отмечают завершение последней торговой сессии года в Чикаго, штат Иллинойс, 31 декабря 2010 года. Для американских фондовых индексов 2010 год сложился удачно: S&P, Dow Jones и Nasdaq выросли более чем на 10 %.

в

Для предотвращения новых кризисов были введены некоторые нормы, пусть и недостаточные. В будущем государствам придется внимательно следить за их исполнением и адаптировать их к меняющимся условиям.

Не должны оставаться в стороне и потребители, которые должны научиться разбираться в условиях предоставления финансовых услуг. Как бы ни было утомительно читать мелкий шрифт, нужно точно знать, в чем заключается подписываемый договор и с какими рисками он сопряжен.

Квант (англ.) — обозначение количественного аналитика, который использует математические и статистические методы для анализа финансовых рынков.

Накопление человеческого капитала. Человеческий капитал — знания, навыки и опыт, которые могут использоваться для производства товаров и услуг. Главный фактор в его накоплении — образование и профессиональная подготовка. Однако он применим и в других областях — например, здравоохранение способствует сохранению человеческого капитала. Американский экономист и лауреат Нобелевской премии Гэри Беккер (1930–2014) считал эффективное накопление человеческого капитала важнейшей составляющей экономического роста.

A

B

Потребителям стоит остерегаться обещаний, которые «слишком хороши, чтобы быть правдой», и помнить о гипотезе эффективного рынка американского экономиста Юджина Фамы, согласно которой инвесторы не могут постоянно получать прибыль выше среднего рыночного курса.

В долгосрочном плане «обогнать рынок» невозможно.

За последние тридцать лет неравенство в развитом мире выросло. Даже приверженцы свободного рыночного капитализма должны признать, что это опасный симптом, который может иметь долгосрочные экономические последствия.

Формирование богатого сверхкласса препятствует вертикальной социальной мобильности. В странах с высоким уровнем неравенства, таких как Великобритания или США, межпоколенческая мобильность по доходам (то есть изменение доходов по поколениям) невелика. В такой закрытой системе талантливые индивиды, не происходящие из богатых семейств, не могут в полной мере реализовать свой потенциал.

Неравномерное распределение богатства отрицательно влияет на спрос. Общий уровень потребления определяется удовлетворением нужд массового рынка, а не элит — товары и услуги CLEWI не могут служить опорой экономике. Более того, неравенство сужает налогооблагаемую базу, создавая низший класс, чьи представители зарабатывают слишком мало, чтобы платить подоходный налог. Это ограничивает возможности государства по финансированию таких важных сфер, как инфраструктура и социальное обеспечение.

Неравенство также ведет к разочарованию в политических системах. Кризис демократии плох сам по себе, но плохи и его экономические последствия. Развитие капитализма и его положительные результаты часто идут рука об руку с представительной демократией.

Юджин Фама (род. 1939) — экономист, лауреат Нобелевской премии. Занимаясь исследованием котировок акций, он пришел к выводу, что их невозможно предсказать на краткосрочную перспективу, поскольку новая информация воздействует на них мгновенно.

CLEWI (Cost of Living Extremely Well Index) — Индекс стоимости невероятно хорошей жизни. Вот уже 40 лет журнал *Forbes* рассчитывает его на основе 40 пунктов, включающих яхты, билеты в оперу, породистых лошадей, шубы, шампанское и пластическую хирургию.

C

D

A/D Неоновая реклама услуг по предоставлению краткосрочных кредитов. Суммы таких «займов до получки» обычно невелики; предполагается, что клиент выплатит их после получения ближайшей зарплаты. Во многих странах эта сфера регулируется очень слабо, вследствие чего годовые процентные ставки по таким кредитам могут превышать 1000 %. Если кредиты не выплачиваются в срок, заемщик может быстро оказаться в долговой яме.

A

A До того как Дональд Трамп стал президентом, Джаред Кушнер занимался газетным делом и недвижимостью. Бизнес достался ему от отца, когда тот был признан виновным в уклонении от уплаты налогов. Иванка Трамп была модельером и медийной персоной. Хотя у них нет политического опыта, оба обладают большим влиянием на администрацию Трампа.

B Уборщик в аэропорту должен работать непрерывно более 8000 лет, чтобы заработать столько, сколько есть у Кушнера и Трамп.

В наиболее развитых странах граждане, свергнув наследственные элиты, создали общество, в котором политическая власть и богатство распределялись равномернее. Со временем частью демократии стали женщины и меньшинства. Ответственность государства перед широкими слоями населения ведет к созданию инклюзивных институтов, благодаря которым большее число людей могут улучшить свое экономическое положение.

Но существует опасность того, что люди с низкими доходами, охваченные апатией, перестанут пользоваться своими гражданскими правами. В этом случае элиты получат неограниченное господство над государством, которое будет действовать исключительно в их интересах, не пытаясь увеличить благосостояние всего общества. В случае глубокого кризиса нет оснований полагать, что самые богатые будут способствовать восстановлению экономики.

Некоторые богачи представляют себе будущее мира таким мрачным, что уже готовят планы собственного спасения на случай социальных потрясений, вкладывая средства в строительство бункеров и в приобретение золотых слитков. Мультимиллиардер Питер Тиль (род. 1967), сооснователь PayPal, потратил миллионы долларов на подготовку убежища на черный день в Новой Зеландии.

Перераспределение богатства могло бы положить конец росту неравенства.

В последние годы во многих странах доля налоговой нагрузки, приходящейся на финансовую элиту, сократилась. Отчасти это обусловлено существованием теневой системы, не входящей в состав традиционной банковской сферы. После 2008 года ее объем рос не переставая и сегодня превышает 80 триллионов долларов (в Ирландии к 2016 году объем теневой банковской системы достиг 2,3 триллиона евро, превысив в 10 раз ВВП страны).

B

А

Обычные инвестиционные инструменты включают в себя фонды прямых инвестиций и хедж-фонды, которые открыты для состоятельных инвесторов, но не для широкой публики. Огромная теневая банковская сфера практически не регулируется, что открывает простор для рискованных действий. Новый кризис обернется колоссальными денежными потерями.

Теневая система непрозрачна и зачастую расположена в офшорах, поэтому ее трудно облагать налогами. В результате спекулятивные инвестиции облагаются по более низкой ставке, чем надежные капиталовложения.

Фонды прямых инвестиций занимаются в основном приобретением акций. Инвесторы (состоятельные индивиды, пенсионные и некоммерческие фонды) создают партнерство. Менеджер фонда вкладывает средства от их имени, как правило, сроком на десять лет.

Хедж-фонды преследуют цель получить максимальную прибыль для своих инвесторов, используя для этого широкий арсенал средств. Зачастую они привлекают большой объем заемных средств и инвестируют в самые разные высоколиквидные активы.

Эффективное и честное налогообложение важно по многим причинам. Например, оно гарантирует перераспределение доходов и дает государству возможность решать проблемы, порожденные рынком (например, загрязнение). Пропорциональный налог, при котором каждый платит по единой ставке вне зависимости от дохода, неэффективен. Хотя такой налог проще взимать, он ведет к уменьшению прибыли и возлагает более высокую нагрузку на людей с низкими доходами.

Радикальное решение — 100-процентный налог на наследство, который принудительно распределяет доход между поколениями.

Однако ввести его невозможно вследствие сильнейшего сопротивления со стороны его противников, не говоря о юридических и финансовых механизмах, позволяющих снизить ставку налога на недвижимость.

A В центре этой картины — Агленд-Хаус, где зарегистрировано более 19 тысяч компаний. Он настолько прочно ассоциируется с уклонением от налогов, что Обама говорил: «Это либо самое большое здание в мире, либо самый крупный налоговый обман в истории».

B 500 корпораций из списка Fortune за 2016 год держали в офшорах более $2,6 триллиона, укрывая эти средства от налогов.

Офшорные банки, как правило, находятся не в странах проживания вкладчиков, а в налоговых гаванях, то есть легкодоступных юрисдикциях с низкими налогами, где обеспечивается конфиденциальность вкладов. Наиболее популярные офшоры — Британские Виргинские острова, Джерси, Каймановы острова, Люксембург и Швейцария.

B

А

А В этом хранилище в Базеле — 8 миллионов пятисантимовых монет, по одной на каждого гражданина Швейцарии. В 2013 году группа «Поколение базового дохода» продала их с аукциона для получения средств на популяризацию идеи базового дохода.

В В 2013 году на Бундесплац в Берне выкидывали монеты, чтобы добиться от общественности поддержки инициативы по выплате каждому швейцарцу безусловного дохода в размере 2500 франков в месяц. На референдуме 2016 года «за» высказалось 23 % голосовавших.

Можно было бы обложить налогами финансовые институты. В 2011 году британское правительство ввело сбор с активов банков, ведущих деятельность в стране, чтобы отбить у них охоту к выдаче рискованных кредитов. В 2015 году он составлял 0,21 % и принес казне около 3 миллиардов фунтов. Впрочем, под давлением банков ставка будет снижена до 0,1 % с 2017 по 2022 год.

Более радикальное решение — налог Тобина на краткосрочные финансовые сделки, прежде всего на спекулятивные. Даже при низкой ставке (его сторонники предлагают от 0,1 до 1 %) он принесет государствам миллиарды и отобьет тягу к рискованным действиям. Учитывая глобальный масштаб банковского дела, такой налог следовало бы ввести по всему миру. Его противники считают, что он ударит по финансовым сделкам и инвестициям.

Уменьшить бедность и перераспределить богатство можно было бы за счет безусловного базового дохода, то есть выплаты всем гражданам страны гарантированного дохода без каких-либо условий. Он устранил бы значительную часть аппарата социального обеспечения, потому что отпала бы необходимость в проверке нуждаемости населения. Получая такое пособие, трудящиеся смогли бы уйти с опостылевшей им работы и заняться более производительным трудом. По мнению критиков, осуществление этой идеи приведет к инфляции и окажет непредсказуемое воздействие на рынок труда, устранив стимул к труду. При альтернативном подходе государство выступает в роли «работодателя последней инстанции», обеспечивая полную занятость (то есть ситуацию, в которой каждый взрослый, желающий или способный работать, имеет работу). При такой системе оно предлагает работу в рамках каких-то проектов в государственном секторе, которая будет приносить гарантированный приемлемый доход тем, кто долго сидит без работы.

Перераспределение богатства в развитых странах имеет огромное значение, но специалисты по экономике развития считают, что главная проблема заключается в неравномерности экономического развития в мировом масштабе. Помимо присущей ей аморальности, она ставит вопрос: почему некоторые части мира богатеют, а другие пребывают в застое?

в

Налог Тобина. Джеймс Тобин (1918–2002) — американский экономист-кейнсианец, лауреат Нобелевской премии 1981 года. Одна из самых известных его идей — налог на сделки по обмену валют, который, по его мнению, уменьшил бы краткосрочную спекуляцию. Сегодня термин «налог Тобина» применяется к любым краткосрочным сделкам.

Специалисты по экономике развития занимаются вопросами обеспечения роста и процветания бедных стран. В фокусе их внимания — «развивающиеся экономики», то есть государства с наиболее низким объемом производства и уровнем жизни по сравнению с другими странами. Большинство таких стран расположены в Африке.

A

B

A Нехватка рабочих рук после Гражданской войны заставила США завезти 15 тысяч китайских рабочих для строительства Первой трансконтинентальной железной дороги. На снимке — труд китайских рабочих в 1868 году на эстакаде в Сикрет-Таун при строительстве Центральной тихоокеанской железной дороги в Калифорнии.

B Строительство Северозападной тихоокеанской железной дороги (1880-е).

C Иммигранты на острове Эллис, Нью-Йорк, 1900 год.

В будущем значение развивающегося мира будет неуклонно расти.

В развивающихся странах проживает 80 % населения мира, и этот показатель будет увеличиваться, поскольку рождаемость на Западе падает. Стимулирование экономического роста в этих странах может принести большие выгоды. С одной стороны, если население в них разбогатеет и сможет тратить деньги не только на товары и услуги первой необходимости, это будет способствовать немалому росту мирового спроса. С другой стороны, эти страны обладают огромным инновационным потенциалом.

Промышленная революция затронула лишь треть населения мира. Только представьте, насколько резко увеличилась бы производительность, если бы в нее оказалось вовлечено всё население мира.

Обеспечение равномерного распределения экономического прогресса и богатства во всем мире — задача пугающих масштабов. Различия в благосостоянии между развитым и развивающимся миром огромны. Хотя у мирового неравенства глубокие исторические корни, оно не всегда было таким глубоким, как сейчас. В 1500 году соотношение по уровню ВВП на душу населения между развитым и неразвитым миром составляло 1,3 к 1.

К концу XX века оно выросло до 6,9 к 1. Неравенство стало быстро увеличиваться в XIX–XX веках, потому что лишь некоторые страны смогли воспользоваться плодами промышленной революции. В то же время империализм и колониализм уничтожили многие независимые экономики, навязав им режим жесткой эксплуатации. Например, в XVIII веке Индия была крупнейшим производителем текстиля в мире, пока не столкнулась с конкуренцией со стороны Великобритании.

Инструменты для обеспечения роста развивающихся стран существуют. Теория «большого толчка», изложенная в 1943 году экономистом Паулем Розенштейном-Роданом (1902–1985), предполагает осуществление масштабных инвестиций, которые стимулируют переход от аграрной экономики к промышленной и обеспечивают долгосрочный устойчивый рост.

Институты — основная проблема развивающегося мира. Экономисты Дарон Аджемоглу и Джеймс А. Робинсон утверждают, что она обусловлена глубинными историческими причинами, связанными с природой колониальных режимов. С 1815 по 1930 год более 50 миллионов человек переехали из Европы на другие континенты, прежде всего в Северную и Южную Америки и в Океанию (в том числе 32,6 миллиона в США, 7,2 миллиона в Канаду, 6,4 миллиона в Аргентину, 4,3 миллиона в Бразилию и 3,5 миллиона в Австралию).

Дарон Аджемоглу (род. 1967) — американский экономист из Массачусетского технологического института. **Джеймс А. Робинсон** (род. 1960) — британский экономист из Оксфорда. В книге «Почему одни страны богатые, а другие бедные» (2012) ученые исследовали причины различий в уровне развития стран.

C

Там, где европейцы могли расселяться в больших количествах (например, в Канаде), возникли демократические институты, которые способствовали долгосрочному экономическому росту. В странах, где европейцам было труднее обосновываться из-за климата и болезней, были установлены режимы колониальной эксплуатации, преследовавшие цель максимального извлечения ресурсов. Эксплуататорская сущность этих режимов сохранилась и после обретения этими странами независимости.

A Добыча золота в лесу Итури на Северо-Востоке Демократической Республики Конго в 2006 году. Страна располагает большими запасами золота, но копателям приходится платить взятки продажным чиновникам и сотрудникам охранных структур.

B Дети грузят мешки хлопка на грузовик в Джизаке, Узбекистан, в 2010 году. До 2012 года государство мобилизовало детей в возрасте от 11 до 15 лет на одиндва месяца на уборку хлопка на государственных полях.

Политические системы в бывших колониях, как правило, подвержены коррупции и неподотчетны населению. Ресурсы и человеческий капитал распределяются неравномерно, из-за чего долгосрочный рост практически невозможен. Особенно остро эта проблема стоит в Тропической Африке, где даже при наличии колоссальных природных ресурсов — например, нефти в Нигерии, бокситов в Гвинее и урана в Нигере — страны остаются неразвитыми, а прибыли достаются лишь местным элитам и зарубежным компаниям. Однако эти страны могут преодолеть пагубное наследие империализма: например, в Ботсване, обладающей самым высоким Индексом человеческого развития в Тропической Африке, ВВП в 2016 году вырос на 7 %.

A

В

Основное внимание мир должен уделить изменению отношений между капитализмом и окружающей средой. Если ничего не делать, экономический прогресс последних десятилетий может обратиться вспять. Согласно докладу Всемирного банка за 2015 год, сохранение нынешних темпов изменения климата к 2030 году ввергнет в нищету 100 миллионов человек. Изменение климата также повышает вероятность конфликтов как между странами, так и внутри отдельных стран. По данным Центра климата и безопасности, оно может дестабилизировать государства, подорвав их возможности по предоставлению базовых услуг, таких как снабжение продовольствием, водой и электричеством; следствием этого могут стать волнения и миграция населения. Эти факторы послужили одной из причин гражданской войны в Сирии, где засуха привела к обострению внутренних противоречий в 2011 году. В 2017 году Генеральный секретарь ООН Антониу Гутерриш (род. 1948) заявил, что борьба с изменением климата имеет решающее значение для предотвращения глобального конфликта.

A

В рамках системы **«ограничения и распределения»** (cap and share) ученые определяют допустимый объем выбросов CO_2 в мировую атмосферу. Государства делят выбросы поровну между взрослыми жителями в виде разрешений, которые граждане могут продавать компаниям, использующим ископаемое топливо. Это компенсирует возможное повышение цен вследствие ограничений на выбросы.

Со времен промышленной революции главным источником энергии для капитализма было ископаемое топливо. Сокращение его использования требует серьезных политических и экономических перемен. Парижское соглашение 2016 года обязывает 195 стран сотрудничать в борьбе с глобальным потеплением. Похвальная инициатива, которая, впрочем, не предусматривает штрафов в случае, если выбросы не сократятся.

Такие схемы, как «ограничение и распределение» и рыночные энергетические квоты, обеспечивают страны инструментами для снижения выбросов углекислого газа. Однако государства должны не только разработать политические и экономические механизмы, чтобы обеспечить исполнение соответствующих норм, но и наказывать экономических субъектов, нарушающих их. Кроме того, вопрос изменения климата стал очень политизированным во многих странах, особенно в США, где администрация Трампа отменила многие экологические нормы и вывела страну из Парижского соглашения.

Капитализм мог бы предложить решение.

У британских промышленников XVIII века были стимулы инвестировать в трудосберегающие устройства, что привело к промышленной революции. Сегодня необходимы стимулы для ограничения климатических изменений. В апреле 2016 года Всемирный банк заявил, что впредь будет направлять 28 % инвестиций на проекты, связанные с изменением климата, вроде «зеленого» транспорта, и будет учитывать фактор глобального потепления во всех финансируемых им начинаниях.

Если возобновляемые источники энергии будут исследоваться так же тщательно, как и невозобновляемые, постепенные инновации сделают их надежнее и производительнее, что создаст миллионы рабочих мест. Итогом будет рост экологически устойчивого капитализма с нулевым балансом выбросов углекислого газа.

Рыночные энергетические квоты определяются электронной системой, присваивающей поставщикам энергии углеродный рейтинг в зависимости от объема производимых ими парниковых газов. В начале года странам отправляется бюджет выбросов, который со временем уменьшается. У каждого взрослого есть недельное количество свободных квот, используемых для приобретения топлива и электричества, при производстве которого выделяется CO_2. Дополнительные квоты можно покупать, излишки — продавать. Государства и корпорации должны покупать квоты на еженедельных аукционах.

B

A На Ближнем Востоке зима 2014 года стала самой сухой за последние десятилетия: ее иллюстрацией может служить эта пересохшая канава в палестинской деревне Аль-Ауджа близ Иерихона (2014). В результате засухи запасы крестьян истощились, что создало угрозу резкого роста мировых цен на продовольствие. Засуха разной степени охватывает две трети пахотных земель в Сирии, Ливане, Иордании, Палестинской автономии и Ираке.

B Защитники окружающей среды составили послание напротив Эйфелевой башни в Париже, где в 2015 году проходила конференция ООН по климату.

Интернет может послужить стимулом для внедрения инноваций и для экономического роста. Он уже произвел революцию в сфере коммуникаций, обеспечив быстрое распространение знаний. В 1995 году доступом в интернет располагал менее чем 1 % населения мира. К 2017 году этот показатель вырос до 51,7 %. Компьютеры становятся всё мощнее и удобнее. Благодаря программному обеспечению с открытым кодом технологии легко распространять и улучшать, что ускоряет инновационный процесс.

Интернет больше используется в развитом мире (в 2017 году самое высокое соотношение пользователей к населению было в Японии — 94 %), но доступ к нему быстро расширяется и в развивающихся странах. С 2000 по 2017 год число пользователей интернета выросло на 46 696 % в Нигерии и на 66 895 % в Бангладеш. Ключевую роль здесь играют смартфоны. Интернет дает многим жителям планеты возможность впервые воспользоваться банковскими услугами. Благодаря таким схемам, как M-Pesa, люди могут класть деньги на счет, снимать и переводить их в электронной форме. Тем самым решаются проблемы, присущие наличным, — кражи и подделка. В будущем блокчейн позволит создавать цифровые валюты вроде биткоина, которые будут надежны и прозрачны.

M-Pesa (M — мобильные, pesa — деньги на суахили) — мобильный банковский сервис, запущенный в Кении в 2007 году. Впоследствии он распространился еще в девяти странах: Албании, Гане, Демократической Республике Конго, Египте, Индии, Лесото, Мозамбике, Румынии и Танзании. С 2007 по 2016 год им воспользовались 29,5 миллиона клиентов, осуществившие 6 миллиардов транзакций.

Блокчейн — надежный цифровой регистр, впервые внедренный в практику в 2008 году. Записанная в нем информация хранится в миллионах компьютеров, благодаря чему она легко доступна, но ее практически невозможно взломать, потому что данные децентрализованы. После выполнения транзакции данные о ней записываются и не могут быть изменены.

А Клиенты могут пользоваться M-Pesa, даже если у них нет доступа к банкам, — система разработана как раз для таких людей. Пользователи кладут деньги на свой счет в таких пунктах обслуживания, как этот в Найроби, и затем получают к ним доступ с мобильных телефонов.

Интернет также позволяет создавать международные социальные и экономические сети, которые раньше было невозможно представить. В теории цифровая экономика предоставляет некоторым секторам доступ к глобальному рынку труда и к глобальной базе потребителей. Чтобы так было и впредь, необходимо сохранять сетевой нейтралитет.

Одним из исторических источников мирового неравенства был неравный доступ к технологиям. Чтобы этого не повторилось в случае с цифровыми технологиями, интернет должен сохранить свою глобальность и открытость.

Биткоин — цифровая валюта, введенная в 2009 году и ставшая первым воплощением блокчейна. Каждый биткоин — это часть кода. Их «майнят» люди, в чьих компьютерах хранятся данные о транзакциях. В рамках этой децентрализованной системы пользователи могут осуществлять прямые электронные платежи между собой. Биткоины хранятся в цифровом кошельке, защищенном паролем. Транзакции осуществляются открыто, но анонимно. Биткоины можно приобрести и на обычные деньги посредством онлайн-обмена.

Сетевой нейтралитет — принцип, согласно которому государства и компания не должны иметь права влиять на доступ потребителя к интернету и на обмен информацией.

A

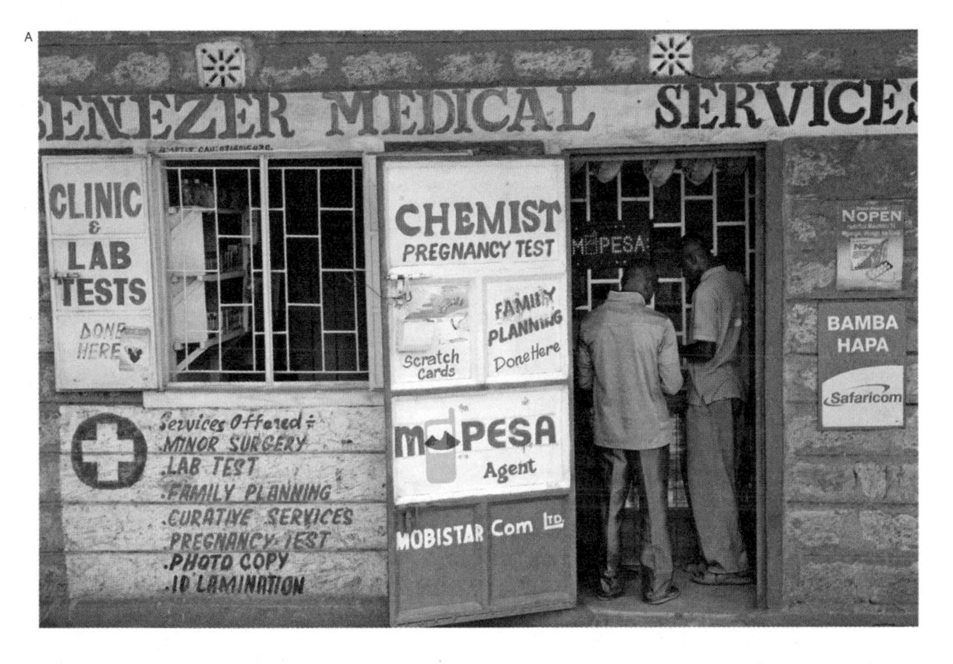

500
100
100
50

Заключение

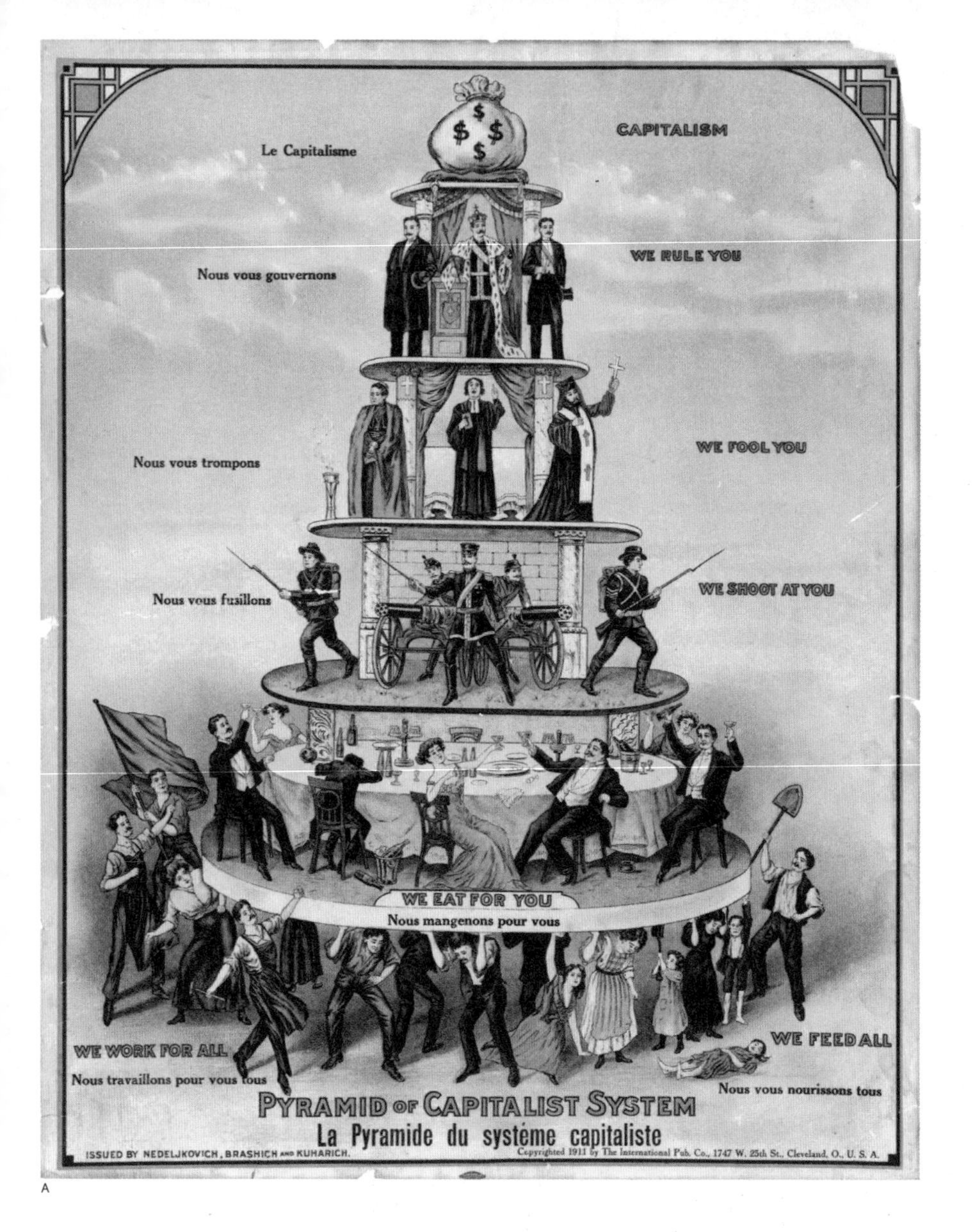

A

В этой книге мы рассмотрели историю, успехи и неудачи капиталистической системы, а также некоторые возможные альтернативы. Но всё же вопрос остается: есть ли будущее у капитализма?

Разумеется, капитализм многого добился. Он вывел из нищеты больше людей, чем любая другая экономическая система, и внедрил инновации и технологии, которые упростили нам жизнь. Он сделал мир богаче по такому показателю, как уровень ВВП на душу населения. Ожидаемая продолжительность жизни сегодня в два раза выше, чем двести лет назад.

История показывает, что наиболее последовательный эксперимент по созданию альтернативы капитализму, который был предпринят в Советском Союзе, провалился, приведя к экономическому застою и дезинтеграции. В последние сорок лет страны, давшие силам капитализма зеленый свет, прежде всего Китай и Индия, добились процветания. Однако приверженцы капитализма не могут ограничиваться лишь перечислением его былых заслуг.

B

A «Пирамида системы капитализма», опубликованная в журнале *Industrial Worker* в 1911 году, показывает социальную иерархию, зиждущуюся на труде рабочих.

B В 1938 году California Arabian Standard Oil Company (сегодня Saudi Aramco) обнаружила экономически перспективные запасы нефти в Дахране, на восточном побережье Саудовской Аравии. Это преобразило экономику страны, превратив ее в крупнейшего мирового экспортера нефти.

A

Некоторые насущные проблемы, с которыми ныне сталкивается мир, — прямое следствие недостатков капитализма. В последние десятилетия имущественное неравенство быстро росло как внутри отдельных стран (некоторые группы населения по-прежнему зарабатывают меньше среднего уровня), так и между странами. Деловые интересы сыграли определенную роль в дестабилизации некоторых стран, спровоцировав разрушительные конфликты. Капитализм также усугубил отрицательное воздействие человечества на окружающую среду и способствовал истощению и уничтожению природы и изменению климата, которое может привести к катастрофическим последствиям. С самого начала своего существования капиталистическая система полагалась на невозобновляемые источники энергии — уголь и нефть — и продолжает действовать так же в XXI веке. Будущее зависит от стимулирования использования альтернативных возобновляемых источников.

Есть и другие проблемы, которых капитализм не решил. Хотя он вывел миллиарды людей из крайней нищеты, он не привел к уничтожению патриархального общества.

Несмотря на то что в развитых экономиках нет разницы в производительности труда между полами, сохраняется огромное неравенство между мужчинами и женщинами. Шокирует минимальное количество женщин на руководящих постах. В 2017 году лишь 6 % американских корпораций, представленных в списке Fortune 500, возглавлялись женщинами. Более того, у женщин меньше выбор рабочих мест, чем у мужчин. Профессии, в которых преобладают женщины, как правило, хуже оплачиваются и менее престижны, чем те, где преобладают мужчины.

В

Поскольку женщины чаще, чем мужчины, занимаются неоплачиваемым уходом за иждивенцами (прежде всего за детьми), они чаще работают на полставки и, как следствие, у них более шаткое положение на рынке труда. Гендерное неравенство в оплате труда (разница в среднем заработке мужчин и женщин) имеет место во всех странах мира и во всех отраслях экономики. В Великобритании она составляет 13,9 % для работников, занятых на полной ставке. Это глобальная проблема, которая решается очень медленно.

По данным Всемирного экономического форума, при сохранении нынешних темпов женские зарплаты сравняются с мужскими через 170 лет.

А Одиночный пикет женщины против неравной оплаты труда в Цинциннати, Огайо, в 70-е годы, когда поправке о равных правах не хватило поддержки трех штатов для того, чтобы быть включенной в Конституцию США.

В Всемирный экономический форум объединяет политиков и крупных предпринимателей, чтобы «улучшить положение дел в мире». Его противники, вроде тех, что пришли на эту демонстрацию в Нью-Йорке в 2002 году, считают его проводником интересов элиты.

A

Основная черта капитализма — неравенство, однако его сторонники утверждают, что неравенство не всегда плохо, поскольку оно является той силой, что заставляет людей трудиться. Оно может побуждать экономических субъектов лучше работать, стимулируя инновации и увеличивая производительность. Тем не менее противники капитализма отмечают, что у неравенства есть и нежелательные последствия. Если оно становится слишком большим, оно ведет к образованию олигархии, которая в долгосрочном плане может подавить рост, пытаясь сохранить ту систему, которая обеспечила ее благополучие.

В этом случае принцип «перетекания» вряд ли обогатит всех и каждого. Элиты будут наслаждаться плодами положительных внешних эффектов прошлого, но при этом не будут компенсировать отрицательные внешние эффекты настоящего. В будущем положительные и отрицательные побочные эффекты капитализма должны будут распределяться более равномерно. Это обеспечит долгосрочный рост.

Стоит помнить, что важным элементом становления капитализма было свержение потомственных элит, которые не были никому подотчетны. Нельзя допустить, чтобы в XXI веке им на смену пришли элиты, чья власть основана на богатстве. «Большая пятерка» Кремниевой долины (Amazon, Apple, Facebook, Google и Microsoft) обладает всё большей властью над нашей жизнью — если не поставить их влияние под контроль, то по мере развития цифровой экономики оно будет только расти.

Адам Смит, первый экономист Нового времени, утверждал, что свободный рынок приведет к наиболее эффективным результатам. Но слепая вера в рынок не обеспечивает наилучших результатов по трем основным причинам.

A В Турции экономический рост обеспечил благосостояние миллионов людей — такие торговые центры, как этот в Стамбуле, появились повсюду. Однако, богатство распределено неравномерно: в 2016 году 32 % национального дохода приходилось на 10 % самых богатых людей.

B Китайское правительство решило сократить выплавку стали, чтобы уменьшить выбросы CO_2 в атмосферу. Тем не менее многие заводы, как, например, этот во Внутренней Монголии на Севере страны, игнорируют это решение и продолжают работать.

B

A

Во-первых, свободный рынок создает систему, в которой главным стимулом служит личное обогащение. Это неизбежно ведет краткосрочному мышлению и спекулятивному поведению, которые в долгосрочном плане не лучшим образом влияют на состояние экономики. Кризис 2008 года показал, что во всё более взаимосвязанном мире они привели к глобальной катастрофе, от которой многие страны не оправились до сих пор.

Во-вторых, как говорил Герберт А. Саймон, в современной экономической системе организации важнее рынков. Восприятие людей как членов организаций дает более полное представление об их поведении. В действительности люди не осознают себя участниками рынка. Более того, они руководствуются не одними лишь соображениями прибыли; принимаемые ими решения сложнее и многограннее.

В-третьих, асимметричность информации присуща практически всем сделкам, поэтому действительно эффективных рынков не существует. Даже свободный обмен знаниями, обеспечиваемый интернетом, не в состоянии решить эту проблему, поскольку не может в полной мере раскрыть личные предубеждения и предпочтения.

Герберт А. Саймон (1916–2001) — американский ученый, один из создателей школы поведенческой экономики. Он внес существенный вклад в развитие многих наук, в том числе экономики, социологии, информатики, психологии и философии. Большая часть работ Саймона посвящена механизмам принятия решений. В 1978 году ему была присуждена Нобелевская премия по экономике.

Асимметричность информации возникает, когда одна сторона обладает большей (или более качественной) информацией, чем другая, и может извлечь из этого выгоду. Вместе с тем асимметричность информации может нарушить работу рынков, создав экономическую проблему, состоящую в том, что покупатели или продавцы принимают неоптимальные решения. Например, асимметричность информации может заставить страховые компании поднять цены на полисы, потому что они не располагают полной информацией о людях, которые их приобрели. Проблему можно решить путем «сигнализирования» (то есть за счет добровольного предоставления информации одной из сторон) и «полного раскрытия» (сторона, находящаяся в неблагоприятном положении, заставляет другую раскрыть информацию). В 2001 году американские экономисты Джордж Акерлоф (род. 1940), Майкл Спенс (род. 1943) и Джозеф Стиглиц получили Нобелевскую премию по экономике за исследования в этой области.

Обладая этими недостатками, капитализм нуждается в определенном регулировании со стороны политических институтов, прежде всего государства.

Демократические правительства могут отслеживать худшие проявления рынка и вырабатывать долгосрочную стратегию развития экономики, оставаясь при этом под контролем народа. Так можно будет сохранить лучшие черты капитализма и смягчить его изъяны. Однако универсальный подход к этой проблеме вряд ли будет эффективным. Общих мер недостаточно — важно учитывать и конкретные местные обстоятельства.

Так есть ли будущее у капитализма? До определенной степени он уже подтвердил свою эффективность для миллиардов людей, принося им безусловные материальные выгоды. Вместе с тем он породил глубокое неравенство и экологические проблемы.

Чтобы оценить, успешен ли капитализм или нет, нужно определить, создал ли он инструменты, необходимые для того, чтобы справиться с вызовами будущего.

A Аккаунт Rich Russian Kids в Instagram рассказывает о жизни детей российских олигархов.

Литература

Аджемоглу Д., Робинсон Дж. Почему одни страны богатые, а другие бедные. Происхождение власти, процветания и нищеты / пер. с англ. Д. Литвинов, П. Миронов, С. Санович. М.: АСТ, 2016.

Акерлоф Дж., Шиллер Р. Spiritus Animalis, или Как человеческая психология управляет экономикой и почему это важно для мирового капитализма / пер. с англ. Д. Приянкин; под научн. ред. А. Суворова; вступ. ст. С. Гуриева. М.: Юнайтед Пресс, 2010.

Аллен Р. С. Британская промышленная революция в глобальной картине мира / пер. с англ. Н. В. Автономова; под ред. В. С. Автономова. М.: Изд-во Ин-та Гайдара, 2014.

Аллен Р. С. Глобальная экономическая история: краткое введение / пер. с англ. Ю. Каптуревский. М.: Изд-во Ин-та Гайдара, 2017.

Винья П., Кейси М. Эпоха криптовалют. Как биткоин и блокчейн меняют мировой экономический порядок / пер. с англ. Э. Кондукова. М.: Манн, Иванов и Фербер, 2017.

Даймонд Дж. Ружья, микробы и сталь. Судьбы человеческих обществ / пер. с англ. М. Колопотина. М.: АСТ, 2012.

Дитон А. Великий побег: Здоровье, богатство и истоки неравенства / пер. с англ. А. Гуськов. М.: Изд-во Ин-та Гайдара; Фонд «Либеральная Миссия», 2016.

Канеман Д. Думай медленно... решай быстро / школа перевода Баканова. М.: АСТ, 2013.

Кларк Г. Прощай, нищета! Краткая экономическая история мира / пер. с англ. Н. Эдельман. М.: Изд-во Ин-та Гайдара, 2012.

Кляйн Н. Доктрина шока: расцвет капитализма катастроф / пер. с англ. М. Завалов. М.: Добрая книга, 2015.

Льюис М. Flash Boys: Высокочастотная революция на Уолл-стрит. М.: Альпина Паблишер, 2015.

Мейсон П. Посткапитализм: путеводитель по нашему будущему / пер. с англ. А. Дунаев. М.: Ад Маргинем Пресс, 2016.

Миланович Б. Глобальное неравенство: новый подход для эпохи глобализации / пер. с англ. Д. Шестаков. М.: Изд-во Ин-та Гайдара, 2017.

Мокир Дж. Просвещенная экономика: Великобритания и промышленная революция 1700–1850 гг. / пер. с англ. Н. Эдельман. М.: Изд-во Ин-та Гайдара, 2017.

Моррис И. Почему властвует Запад... по крайней мере, пока еще: закономерности истории, и что они сообщают нам о будущем / пер. с англ. В. Егоров. М.: Карьера Пресс, 2016.

Мэддисон Э. Контуры мировой экономики в 1–2030 гг.: очерки по макроэкономической истории / пер. с англ. Ю. Каптуревский. М.: Изд-во Ин-та Гайдара, 2015.

Норт Д. Понимание процесса экономических изменений / пер. с англ. К. Мартынов, Н. Эдельман. М.: Изд. дом Гос. ун-та — Высшей школы экономики, 2010.

Пикетти Т. Капитал в XXI веке / пер. с фр. А. Дунаев. М.: Ад Маргинем Пресс, 2015.

Померанц К. Великое расхождение: Китай, Европа и создание современной мировой экономики / пер. с англ. А. Матвеенко; под науч. ред. А. Володина. М.: Издательский дом «Дело» РАНХиГС, 2017.

Родрик Д. Парадокс глобализации: демократия и будущее мировой экономики / пер. с англ. Н. Эдельман; науч. ред. пер. А. Смирнов. М.: Изд-во Ин-та Гайдара, 2014.

Сен А. Развитие как свобода / пер. с англ. под ред. и с послесл. Р. М. Нуреева. М.: Новое изд-во: Фонд «Либеральная Миссия», 2004.

Стиглиц Дж. Цена неравенства. Чем расслоение общества грозит нашему будущему / пер. с англ. Е. Рождественская. М.: Эксмо, 2015.

Стиглиц Дж. Крутое пике: Америка и новый экономический порядок после глобального кризиса / пер. с англ. В. Лопатка. М.: Эксмо, 2011.

Харфорд Т. Экономист под прикрытием / пер. с англ. В. Мишучков. СПб.: BestBusinessBooks, 2009.

Чхан, Ха Джун. «23 тайны: то, что вам не расскажут про капитализм» / пер. с англ. Е. Кисленкова. М.: АСТ, 2014.

Чхан, Ха Джун. Как устроена экономика. М.: Манн, Иванов и Фербер, 2015.

Datta S. (ed.). Economics: Making Sense of the Modern Economy (3rd edition, London: The Economist in association with Profile Books, 2011).

Gordon S. The Rise and Fall of American Growth (Princeton: Princeton University Press, 2016).

Greenwald B. C., Khan J. Globalization: The Irrational Fear That Someone in China Will Take Your Job (Hoboken: John Wiley and Sons, 2009).

Kay J. Other People's Money: Masters of the Universe or Servants of the People? (London: Profile, 2015).

Klein N. This Changes Everything: Capitalism vs. the Climate (London: Allen Lane, 2014).

Lanchester J. Whoops! Why Everyone Owes Everyone and No One Can Pay (London: Penguin, 2010).

Lanchester J. How to Speak Money: What the Money People Say – And What They Really Mean (London: Faber & Faber, 2014).

Landes D. S. The Wealth and Poverty of Nations (London: Abacus, 1999).

Levinson M. The Box: How the Shipping Container Made the World Smaller and the World Economy Bigger (Princeton: Princeton University Press, 2006).

Murphy R. The Joy of Tax: How a Fair Tax System Can Create a Better Society (London: Bantam Press, 2015).

Nayyar D. Catch Up: Developing Countries in the World Economy (Oxford: Oxford University Press, 2013).

Stiglitz J. E. and Greenwald B. C. Creating a Learning Society: A New Approach to Growth, Development, and Social Progress (New York: Columbia University Press, 2014).

Valdez S. and Molyneux Ph. An Introduction to Global Financial Markets (7th edition, Basingstoke: Palgrave Macmillan, 2013).

Wolman D. The End of Money: Counterfeiters, Preachers, Techies, Dreamers – and the Coming Cashless Society (Boston: Da Capo, 2012).

Wrigley E. A. Energy and the English Industrial Revolution (Cambridge: Cambridge University Press, 2010).

Источники иллюстраций

Предприняв все усилия, чтобы найти и упомянуть правообладателей фотоматериалов, использованных в этой книге, автор и издатель приносят извинения за любые упущения или ошибки, которые будут по возможности исправлены в следующих изданиях.

а — сверху, б — снизу,
в — в центре, л — слева,
п — справа

2 С разрешения Dan Tague
4–5 Paulo Whitaker / Reuters
6–7 Visions of America, LLC / Alamy Stock Photo
8 С разрешения Halas & Batchelor
11 De Agostini / G. Cigolini / Veneranda Biblioteca Ambrosiana / Bridgeman Images
12 Maersk Line
13 Simon Dawson / Bloomberg via Getty Images
14 а Доха, Катар, 1980-е
14 б Доха, Катар, 2000-е
15 л Issouf Sanogo / AFP / Getty Images
15 п Robert Matton AB / Alamy Stock Photo
16–17 Старая Национальная галерея, Берлин
18 Частная коллекция
19 Частная коллекция
20 л Частная коллекция
20 п Йельский центр британского искусства, Paul Mellon Collection
21 л SSPL / Getty Images
21 п Fox Photos / Getty Images
22 Библиотека Конгресса, Вашингтон, округ Колумбия
23 Florilegius / Alamy Stock Photo
24 а Michel Porro / Getty Images
24 в Hulton Archive / Getty Images
24 б Доверенные лица Британского музея, Лондон
25 Частная коллекция
26 DEA Picture Library / De Agostini / Getty Images
27 The Granger Collection / Alamy Stock Photo
28 Британская библиотека, Лондон
29 л Частная коллекция
29 п Частная коллекция
30 National Portrait Gallery, London
31 С разрешения Classical Numismatic Group, Inc., www.cngcoins.com
32 Anindito Mukherjee / Reuters
33 Энрике Алвим Коррея
34 С разрешения Lamptech
35 Rykoff Collection / Getty Images
36 World History Archive / Alamy Stock Photo
37 л Частная коллекция
37 п Universal Images Group / Universal History Archive / Diomedia
38 Popperfoto / Getty Images
39 Margaret Bourke-White / Getty Images
40 л Hulton-Deutsch Collection / Corbis via Getty Images
41 Bettmann / Getty Images
42 Smith Collection / Gado / Getty Images
43 Everett Collection Historical / Alamy Stock Photo
44 Архив Консервативной партии / Getty Images
45 Фото Süddeutsche Zeitung / Alamy Stock Photo
46 © European Communities, 1993 / E.C. – Audiovisual Service / Фото Christian Lambiotte
47 Sion Touhig / Sygma via Getty Images
48 Chris Ratcliffe / Getty Images
49 Warrick Page / Getty Images
50–51 Stuart Franklin / Magnum Photos
52 Музей д'Орсэ, Париж
53 Британская библиотека, Лондон
54 New Holland Agriculture
55 Agencja Fotograficzna Caro / Alamy Stock Photo
56 л United States Patent Office
56 п United States Patent Office
57 С разрешения Allphones
58 а Zuma / Diomedia
58 б Zuma / Rex / Shutterstock
59 а, б Doug Coombe
60 Bettmann / Getty Images
61 Darryn Lyons / Associated Newspapers / Rex / Shutterstock
62 Fine Art Images / Diomedia
63 Pictures from History / akg Images
64 а, б Michael Seleznev / Alamy Stock Photo
65 Ferdinando Scianna / Magnum Photos

66 Greg Baker/ AP / Rex / Shutterstock
67 л, п из: Measuring Economic Growth from Outer Space, J. Vernon Henderson, Adam Storeygard, David N. Weil. NBER Working Paper No. 15199, 2011
68 а Harald Hauswald / Ostkreuz
68 б Herbert Maschke, Street scene at Café Kranzler, 1962. Stiftung Stadtmuseum Berlin, Morlind Tumler / Cornelius Maschke. Reproduction Cornelius Maschke
69 Imaginechina / Rex / Shutterstock
70 Sandry Anggada
71 Sebastián Vivallo Oñate / Agencia Makro / LatinContent / Getty Images
72 Yvan Cohen / LightRocket via Getty Images
73 Kham / Reuters
74–75 Kevin Frayer / Getty Images
76 Mail Online
77 Fox Photos / Getty Images
78 Sinopix / Rex / Shutterstock
79 Kristoffer Tripplaar / Alamy Stock Photo
80 Музей Франса Халса, Харлем, Нидерланды
81 Thomas Locke Hobbs
82 а, с, б AFP / Getty Images
83 Rex / AP / Shutterstock
84 Артем Самохвалов / Shutterstock
85 Kazuhiro Nogi / AFP / Getty Images
86 л Частная коллекция
86 п С разрешения Nathan Mandreza
87 л С разрешения Lalo Alcaraz
87 п Jeanne Verdoux, jeanneverdoux.com
88 Daniel Leal-Olivas / AFP / Getty Images
89 Chris Barker, christhebarker.tumblr.com
90 л Marianne
90 п Der Spiegel
91 Milos Bicanski / Getty Images
92 Моторная яхта Eclipse, построена на верфи Blohm+Voss, дизайн Terence Disdale
93 л Jean-Pierre Muller / AFP / Getty Images
93 п Simon Dawson / Bloomberg via Getty Images
94–95 Lukas Schulze / Getty Images
96 а, б С разрешения Cordaid
97 Rex / AP / Shutterstock
98 Romeo Gacad / AFP / Getty Images
99 Ли Фен / Getty Images
100–101 Aly Song / Reuters
102 Robert Schediwy
103 л, п Коллекция Ландсбергера, Международный институт социальной истории, Амстердам
104 Reuters
105 Carlos Barria / Reuters
106 © Walker Evans Archive, Метрополитен-музей, Нью-Йорк
107 Oli Scarff / Getty Images
108 С разрешения Harrods Bank
109 Scott Olson / Getty Images
110 л mikeledray / Shutterstock
110 п Джереми Брукс
111 а Doran
111 б mikeledray / Shutterstock
112 Nicholas Kamm / AFP /Getty Images
113 meinzahn / 123rf.com
114 © Paolo Woods and Gabriele Galimberti
115 Bruce Rolff / Shutterstock
116 Ruben Sprich / Reuters
117 Denis Balibouse / Reuters
118 л Granger Historical Picture Archive / Alamy Stock Photo
118 п Bettmann / Getty Images
119 Библиотека Конгресса, Вашингтон
120 Randy Olson / National Geographic / Getty Images
121 Carolyn Drake / Magnum Photos
122 Ammar Awad / Reuters
123 Benoit Tessier / Reuters
125 Benedicte Desrus / Alamy Stock Photo
126–127 Steve McCurry / Magnum Photos
128 Частная коллекция
129 914 collection / Alamy Stock Photo
130 Музейный центр Цинциннати / Getty Images
131 Alex Majoli / Magnum Photos
132 Radu Bercan / Shutterstock
133 Kevin Frayer / Getty Images

Указатель

Жирным шрифтом выделены номера страниц с иллюстрациями

Автор благодарит команду редакторов и дизайнеров Thames & Hudson за работу по созданию этой книги и коллег из Кембриджского университета за все плодотворные обсуждения и споры о процессе экономических изменений.

Эта книга посвящается моим крестникам Бел и Билли.

УДК 141.7:[316.323.64:330.342.14]
ББК 60.033.22+60.521.4+65.013
Ф51

Данное издание осуществлено в рамках совместной издательской программы Ad Marginem и ABCdesign

Ad Marginem ABCDESIGN

Джейкоб Филд
Есть ли будущее у капитализма?

Перевод — Александр Дунаев
Редактор — Кирилл Мартынов
Корректор — Людмила Самойлова
Выпускающий редактор — Елена Бондал
Адаптация макета — ABCdesign

Филд, Джейкоб.
Ф51 Есть ли будущее у капитализма? / Джейкоб Филд. — М. : Ад Маргинем Пресс, ABCdesign, 2019. — 144 с. : ил. — (The Big Idea).

ISBN 978-5-91103-485-6
ISBN 978-5-4330-0126-8

По вопросам оптовой закупки книг издательского проекта «А+А» обращайтесь по телефону:
+7 (499) 763 3227, или пишите:
sales@admarginem.ru

ООО «Ад Маргинем Пресс»
Резидент ЦТИ ФАБРИКА
Переведеновский пер., д. 18,
Москва, 105082
тел.: +7 (499) 763 3595
info@admarginem.ru

ООО «АВСдизайн»,
ул. Малая Дмитровка, д. 24/2
Москва, 127006
тел.: +7 (495) 694 6293
contactme@abcdesign.ru

Printed and bound in Slovenia by
DZS-Grafik d.o.o.